NUMEROLOGIA
HUMANISTA

NUMEROLOGÍA HUMANISTA

Cara a cara
contigo mismo

Martine Coquatrix

◖diciones Continente

Numerología Humanista. Cara a cara contigo mismo

1ª edición: abril de 1999
3ª reimpresión: mayo de 2016

ISBN: 978-950-754-086-8

Diseño de tapa: Estudio Tango
Diseño de interior: Mora Digiovanni - LITERARIS
Corrección: Susana Rabbufeti Pezzoni

Coquatrix, Martine
   Numerología Humanista : cara a cara contigo mismo. - 1a ed. -
Buenos Aires : Continente-Pax, 1999.
256 p ; 23x16 cm.

ISBN 978-950-754-086-8

1. Numerología Humanista. Título
CDD 133.335 9

©1999, **E**diciones Continente

Pavón 2229 (C1248AAE) Buenos Aires, Argentina
Tel.: (5411) 4308-3535 - Fax: (5411) 4308-4800
www.edicontinente.com.ar
e-mail: info@edicontinente.com.ar

Este libro se terminó de imprimir en el mes de mayo de 2016,
en Cooperativa Chilavert Artes Gráficas,
Chilavert 1136, CABA, Argentina - (5411) 4924-7676 - imprentachilavert@gmail.com
(Empresa recuperada y autogestionada por sus trabajadores)

Encuadernado en Cooperativa de Trabajo La Nueva Unión Ltda.,
Patagones 2746, CABA, Argentina - (5411) 4911-1586 - cooplanuevaunion@yahoo.com.ar
(Empresa recuperada y autogestionada por sus trabajadores)

Las tapas fueron laminadas en Cooperativa Gráfica 22 de Mayo (ex Lacabril),
Av. Bernardino Rivadavia 700, Avellaneda, Bs. As., Argentina - (5411) 4208-1150 -
lanuevalacabril@gmail.com (Empresa recuperada y autogestionada por sus trabajadores)

ÍNDICE

Agradezco a todos los que me acompañan en este libro:

A los alumnos y pacientes de los diferentes países, que me enseñan cada vez más y me ayudan a descubrir la dimensión sorprendente y enriquecedora de los números.

A Marcela, la fiel amiga que me ayuda a encontrar la palabra justa y a dar cuerpo a lo que quiero transmitir.

A mi Maestro François Notter, a quien considero como un sendero luminoso para transmitir los mensajes de la Numerología Humanista.

A todos los que quiero en el mundo... a mis amigos, a mi marido, a mi familia, a mis hijos, más que nada a Paul, que me ayuda tanto a progresar.

A mis Maestros "de arriba", que me dieron una vez más el impulso para lanzarme a este segundo libro, y transmitir mis modestos conocimientos.

PREFACIO

Pues bien, aquí estamos nuevamente y de la mano, para penetrar juntos un poco más en nuestro jardín secreto, dispuestos a llegar hasta sus confines, para entrar en contacto no sólo con las flores aún por descubrir sino también para convivir con la maleza, ya que somos seres compuestos de luces y sombras y eso forma parte de nuestro misterio profundo.

Para aquellos que se acercan por primera vez, este segundo libro –complemento del primero– puede presentar ciertas dificultades de comprensión. Es por eso que retomo aquí el significado y la forma de utilización de la Inclusión, base de la Numerología Humanista.

Sin embargo –y dado que integran ambos un proceso de crecimiento– es muy importante conocer también el primero, ya que contiene información esencial para la buena asimilación del segundo.

El título "Cara a cara contigo mismo" nos adelanta el sentido que contienen estas páginas.

Vamos a efectuar un viaje iniciático al interior de nosotros mismos, para reencontrarnos con nuestro Ser profundo, descubriendo nuestro potencial escondido, nuestras posibilidades evolutivas y finalmente, nuestro gran poder que es el inconsciente.

Este camino nos va a permitir entrar en nuestra verdad, tal como somos, con sencillez pero con potencia.

Los invito entonces a todos a abordar este libro con sabiduría, discernimiento y humildad, haciendo este peregrinaje paso a paso, con lo que va a suponer de introspección y de reflexión, en esa tarea impostergable que es: edificarse.

Intenté explicar de un modo claro y sencillo todo el proceso, pero les pido de nuevo un poco de indulgencia hacia mi modo de pensar o de escribir todavía marcados por la cultura francesa, que forma parte de mí.

El propósito único de este libro es ayudarnos a descubrir nuestro Ser en todas sus dimensiones y a permitir a la "flor única" que somos, revelarse en todo su brillo y resplandor.

Gracias a todos…

Introducción a la Numerología

Abandono los viejos hábitos;
elijo la oportunidad de cambiar completamente mi vida.
Dios me soporta totalmente en esta acción
y todas las puertas del éxito se me abren.

Si observamos lo que sucede a nivel de la evolución de la humanidad, vemos que estamos cambiando poco a poco de valores: de los años 1000 pasamos a los años 2000.

Desde el inicio de este último siglo presenciamos ya una preparación para este cambio que se hizo sentir con más fuerza a partir de los años 90, cuando la Humanidad entraba en un proceso de apertura de conciencia, buscando horizontes más amplios que ensancharan la visión de la vida.

Paralelamente y gracias a una "operación limpieza" a nivel colectivo, las sociedades comenzaban a despojarse de "hábitos viejos" y de conceptos superados que habían llegado a su fin, creando espacio para un período renovador.

Estamos iniciando, pues, este nuevo milenio "2" en el cual vamos a experimentar profundas modificaciones. Estamos acercándonos más a los valores propios del "2", gracias a los cuales vamos a pasar de la prioridad del "hacer" correspondiente a una energía Yang (masculina), al "sentir" donde las energías Yin (femeninas) son las protagonistas.

La Numerología Humanista es justamente uno de los medios para prepararnos interiormente a esta evolución.

Con ella aprendemos a manejar los mensajes de los números, no sólo en su aspecto cuantitativo apreciable a primera vista, sino también –y fundamentalmente– en sus aspectos cualitativos, percibiendo que detrás de cada cifra vibra un potencial de energía con una valiosa información psicológica y espiritual.

Es decir que estamos entrando en otra dimensión –mucho más profunda e interesante– ya que nos abre a una nueva interpretación, a una visión distinta de nuestra propia vida y de los seres humanos.

Para entender mejor cómo debemos abordar la Numerología Humanista, vamos a intentar definir un poco más las diferencias entre el comportamiento dictado por el hemisferio cerebral izquierdo masculino (Yang) y el hemisferio cerebral derecho femenino (Yin), en el sentido de que debemos abandonar progresivamente los mecanismos del primero: analítico, lógico y cartesiano, para adoptar los del segundo: intuitivo, sensible, creativo y sintético.

Recordamos, una vez más que, en este camino de la Numerología Humanista, trabajamos con un 10% de cálculos, un 20% de técnica y un 70% de apertura de conciencia, de escucha para captarnos a nosotros mismos o al otro en la totalidad de su misterio, guiados por la inteligencia del corazón, que no juzga, no condena sino que por el contrario, respeta al Ser en todas sus dimensiones y sus posibilidades.

De esta forma, vamos a definir dos tipos de Numerología: la que funciona con el hemisferio cerebral izquierdo y la que va a utilizar el hemisferio cerebral derecho. Eso nos va a ayudar a quitarle el lastre al hemisferio Yang e integrar el Yin, para alcanzar el equilibrio de los dos.

La Numerología del hemisferio cerebral izquierdo (Yang –masculino–)

En este abordaje se priorizan los aspectos cuantitativos, donde los números son utilizados meramente como herramientas matemáticas (de adición, sustracción, etc.). Se miden valores jerarquizados, evaluando los excesos y las carencias, o los promedios de datos.

Es una Numerología analítica y lógica, donde los datos se disecan de un modo fraccionado, sin relacionarlos entre sí. Se analizan los hechos en forma secuencial, para descubrir el "porqué" del modo más claro posible.

El acento está puesto en las apariencias externas, visibles; importan los datos objetivos y el accionar. El pensamiento es racional y el lenguaje conceptual, con una interpretación intelectual y abstracta de los hechos. La información se interpreta con deducciones y argumentos que tienden a explicar las situaciones. Todo se desmenuza, se sopesa, se clasifica y se pone en "casilleros". El abordaje se torna científico, controlado, exigente y guiado por causas y efectos. Hay una necesidad de acumular conocimientos o de inventariar el saber, con el riesgo de no poder sacar provecho de él, justamente por exceso de datos.

Esta Numerología del "hemisferio derecho" se propone evaluar todo, seleccionar todo, y muchas veces es utilizada para juzgar o discriminar. La rentabilidad y las competencias profesionales ocupan el centro de la preocupación, más que el trabajo interior o el desarrollo de la conciencia. El pensamiento fraccionado y secuencial nos lleva a utilizar la Numerología como un instrumento de previsión para el futuro, tal vez de "predicción" que tiende a la especulación y nos hace caer en la preocupación y la angustia. Cuanto más cartesiano es el funcionamiento, más miedo a lo desconocido genera.

Así la Numerología se vuelve limitada, crispada, por la incapacidad de controlar todos los datos y por la falta de confianza en las riquezas interiores y los tesoros inmensos de cada uno. Esta Numerología que tiende a explicar todo le impide a la persona encontrarse consigo misma y descubrirse. Una vez que entramos en la dependencia de esta Numerología predictiva, tendemos a escaparnos de la realidad, a fugarnos del presente, dejando de lado todo el potencial de libertad del que disponemos, gracias al cual nada es imposible hasta el último día de nuestra vida.

Los números únicamente pueden proporcionarnos grandes líneas o matices con respecto al futuro, pero cada uno es absolutamente libre de vivir esos períodos como "le dé la gana".

Toda previsión limita los horizontes posibles y nos condiciona en el manejo del libre albedrío interior. Lo importante es prepararnos para el futuro, viviendo bien "el aquí y el ahora". Es decir, nuestro futuro será a imagen y semejanza de lo que sintamos ahora y de nuestra forma de vivir el presente. Los números están aquí para invitarnos a cambiar la mirada sobre nosotros mismos, para liberarnos de los mecanismos que desvirtúan nuestros impulsos creativos y sabotean nuestra progresión.

Estas últimas consideraciones nos preparan para mirar cómo se practica, en cambio, otro tipo de Numerología.

La Numerología del hemisferio cerebral derecho (Yin –femenino–)

El enfoque está dirigido hacia los aspectos cualitativos del tema. Los números se utilizan como portadores de mensajes psicológicos y espirituales, al servicio del Ser en su proceso evolutivo.

Pasamos entonces del análisis del hemisferio Yang a la síntesis del Yin, intentando obtener una visión global e integrando cada acontecimiento, así como cada número, en un conjunto interactivo y que se relaciona entre sí en forma dinámica.

Del pensamiento lógico Yang pasamos al pensamiento analógico Yin. En vez de un abordaje racional donde se procura explicar el porqué, vamos hacia un pensamiento intuitivo donde las preguntas esenciales van a ser: ¿cómo? o ¿de qué manera? De los conocimientos mentales llegamos a los conocimientos intuitivos, donde nos dejamos conducir por lo que ya sabemos gracias a la experiencia de vidas anteriores.

Del lenguaje conceptual del Yang pasamos con el hemisferio Yin a la utilización de fábulas, metáforas y parábolas, con gran receptividad a los símbolos y a los mitos.

Del razonamiento y del abordaje cartesiano de los hechos del Yang, pasamos a un abordaje poético y místico del Yin. De la interpretación intelectual y analítica de las situaciones, pasamos a la interpretación sensible e intuitiva.

El proceso secuencial de la información del hemisferio Yang se vuelve con el hemisferio Yin un proceso global formando parte de un todo.

La producción científica del Yang se transforma con el hemisferio Yin en la expresión artística, con su potencial liberador e infinito.

Las deducciones o argumentos del Yang se vuelven conciencia inmediata e inspiración.

Las conclusiones fraccionadas del Yang se transforman con el hemisferio Yin en elementos integradores de una síntesis.

Las nociones del tiempo cronológico: pasado, presente y futuro del Yang, se amplían con el Yin sin limitaciones de Espacio y Tiempo. Por ejemplo, nuestra vida presente forma parte de un gran plan de evolución fuera del tiempo. Lo podremos experimentar en este libro cuando abordemos la Evolución, donde veremos que ya en mi presente puedo atraer mi proceso evolutivo futuro.

El hacer o el actuar del hemisferio Yang se transforman en el Ser y el Sentir del hemisferio Yin.

Las nociones de producción o de conquista se cambian por presencia, toma de conciencia, integración directa y mutación interior. La especialización Yang deja paso a la polivalencia donde cada pieza del rompecabezas se vincula para formar un todo.

Esta utilización del hemisferio Yin nos ayuda a hacer una selección de los datos para ir a lo esencial, al núcleo profundo del otro, abriendo campo a todas las posibilidades a su disposición. Igualmente, el manejo del hemisferio Yin nos permite descubrir lo que permanece en las sombras, como por ejemplo, la angustia o los miedos, pero sin forzar una solución inmediata o pretender encerrarlos en una explicación.

Así la Numerología del hemisferio Yin permite facilitar el encuentro de la persona con su Ser profundo, su potencial escondido, para liberarlo, ofreciéndole la posibilidad de recibirse a sí mismo, de expresarse sin depender de nada o de nadie.

De esta forma, vimos un poco la diferencia de abordaje según la utilización de nuestro hemisferio cerebral masculino o femenino.

Nueva visión de la Numerología Humanista

Tanto por educación, como por formación filosófica, nos hemos acostumbrado a funcionar –en la mayoría de los casos– utilizando nuestro hemisferio cerebral izquierdo Yang, como respuesta más espontánea o primaria. Pero es urgente que empecemos a crear un puente entre los dos hemisferios y aliviar el lado Yang para inclinarnos más hacia la utilización del hemisferio Yin que nos introduce en dimensiones humanas y espirituales mucho más amplias y libres.

El empleo de los dos hemisferios en forma conjunta colaborará a la emergencia del Ser en su totalidad, en su unidad y en su potencial de persona de pleno derecho.

Gracias a esta nueva concepción, la Numerología Humanista se vuelve una herramienta de autoconocimiento y de expansión personal que permite:

- Ayudar al Ser en su proceso evolutivo.
- Favorecer el desarrollo del libre albedrío, liberándolo de la opinión o el juicio de los demás.
- Tener una visión no determinante de las personas o de los acontecimientos.
- Utilizar un discurso que no sea ni culpabilizante ni normativo.
- Orientar sin predicción, brindando únicamente pistas o caminos posibles.
- Relacionar la mente con el cuerpo y el alma, es decir, unir lo intelectual con lo físico y lo espiritual.

Esta Numerología nos invita a optar por una actitud de confianza y optimismo frente a la vida, así como a darle crédito al potencial de cada uno en su proceso de perfección o de evolución, siempre y cuando la persona sea capaz de reconocer lo mejor de sí misma. Ayuda también a erguirse en la vida y a ser uno mismo responsable de manejar "su propio timón" tal como le parezca, liberando su propia soberanía interior. Este camino nos ayuda a reconciliarnos no sólo con nosotros mismos, sino también con nuestra propia historia y nuestra ascendencia. Una vez alcanzadas la paz y la armonía, podemos dejar aflorar nuestro niño interior, permitiendo que el caudal de nuestras capacidades fluya, para mejorar nuestra vida. Si aprendemos a mirarnos y a amarnos de un modo nuevo, tolerante y positivo, lograremos aceptar y amar a los otros tal como son y no como desearíamos que fuesen. De esta forma, podemos orientar nuestra vida hacia el éxito y la felicidad.

La Numerología Humanista es una "fuente de despertar" en este sendero iniciático de la vida.

Para terminar esta presentación de la nueva orientación de la Numerología Humanista, querría precisar algunos elementos:

La Numerología que vamos a practicar va a ser la imagen de lo que somos y el reflejo de nuestra forma de vida.

- Si tenemos una relación estrecha o estereotipada con nosotros mismos, vamos a transmitir una Numerología encorsetada y estática.
- Si tenemos miedo de la vida, nuestra Numerología será miedosa y "temblona".
- Si nos sentimos culpables, nuestra Numerología va a hacer que el otro se sienta culpable.
- Si nos sentimos divididos o limitados, nuestra Numerología será fraccionada y cautiva.
- Si estamos tensos, nuestra Numerología será rígida y determinista.
- Si somos pesimistas, nuestra Numerología será desesperanzada y triste.

Por el contrario, cuanto más lúcidos y conscientes somos, más constructiva y luminosa será nuestra visión.

- Si tenemos confianza en la vida, nuestra Numerología será positiva y tranquilizadora.
- Si tenemos fe en nosotros mismos, nuestra Numerología confiará en los demás.
- Si nos respetamos y nos aceptamos a nosotros mismos, nuestra Numerología sabrá acoger al otro en la profundidad de su misterio.
- Si nos amamos a nosotros mismos, nuestra Numerología será tierna, cálida y compasiva.

- Si dejamos entrar nuestro "Sol interior", nuestra Numerología será radiante y luminosa.
- Si hemos aprendido a escucharnos, nuestra Numerología será capaz de recibir y escuchar al otro.

Finalmente, si creemos en el "Hombre", nuestra Numerología será humanista.

- I -
Presentación de la Inclusión

Vivo ahora en el rigor, la perfección y la conciencia plena.
Éstos son los retos de mi vida presente.
Los acepto y, cultivando todas esas cualidades,
encuentro mi camino y mi fuerza.
Realizo mi destino.

Cuando volvemos a la Tierra, escogemos a nuestros padres y, por lo tanto, escogemos también nuestros apellidos y nuestros nombres.

Normalmente, es la madre la que –por su comunicación íntima con el niño– percibe durante el embarazo qué nombre le debe dar de acuerdo con el padre, que también desempeña un papel importante en la elección. Estos nombres son depositarios de energías particulares que determinan un cierto potencial para toda la vida.

En el estudio numerológico, tomamos en cuenta todas las letras de nuestra identidad.

Esos datos son portadores de numerosas informaciones familiares y psicológicas que nos pertenecen y todas forman parte de nuestra identidad, aunque generalmente utilicemos parte de ellas, el primer nombre o sólo el primer apellido.

Cada letra recibe un valor numérico, lo cual nos va a permitir armar la Inclusión de Base, que es el instrumento más importante en la construcción de un Tema en la Numerología Humanista.

¿Qué es la Inclusión?

Es un camino de autoconocimiento a través de nueve Casas o nueve aspectos de vida. Cada Casa va a estar ocupada por un Habitante, resultante de la cantidad de letras del mismo valor que aparezcan en los datos.

Estos Habitantes transmiten mensajes cualitativos y nos indican de qué forma vivimos esos aspectos de la vida.

La Inclusión se podría comparar con una "caja de herramientas" en un proceso de evolución. Somos los responsables de utilizar bien o no estas herramientas que están puestas a nuestra disposición.

¿Cómo construir la Inclusión?

Debemos, en primer lugar, asignarle a cada letra su valor de acuerdo con el cuadro que presentamos a continuación. Para simplificar luego su lectura, conviene poner el valor de las vocales arriba y el valor de las consonantes abajo.

1	2	3	4	5	6	7	8	9
A	B	C	D	E	F	G	H	I
J	K	L	M	N	O	P	Q	R
S	T	U	V	W	X	Y	Z	

La Ñ = N = 5
La CH = C + H = 3 + 8
La LL = L + L = 3 + 3

Con la experiencia del trabajo de estos últimos años, tengo que aclarar un aspecto importante para rectificar una interpretación incompleta de mi primer libro.* Me di cuenta de que ciertos países utilizan únicamente el apellido paterno, desapareciendo el de la madre en los papeles oficiales (cédula de identidad o pasaporte), como por ejemplo en Francia y Argentina. Esto se explica por la herencia del *Código Napoleónico*, en el cual la figura de la mujer –ya fuese la madre o la esposa– pasa a segundo plano.

Sin embargo, considero fundamental tomar en cuenta tanto el apellido del padre como el de la madre, ya que no podemos quitar la mitad de la identidad a una persona, para estar de acuerdo con las leyes de ciertos países.

Por otro lado, entiendo que la madre tiene un papel muy importante en la ascendencia de un ser humano, ya que es ella la que lo lleva dentro de sí, lo nutre y lo protege durante nueve meses.

Entonces vamos a estudiar el caso de María Carolina Pérez, a quien añadiremos el apellido materno García, y llenaremos las Casas con los Habitantes correspondientes a estos nuevos datos.

```
  1   9 1     1   6  9  1      5   5      1      9 1
M A R Í A   C A R O L I N A   P É R E Z   G A R C Í A
4   9       3   9  3  5       7   9  8   7   9 3
```

Cuento cuántas letras de cada valor numérico posee:

Letras de valor 1 = 6
Letras de valor 2 = 0
Letras de valor 3 = 3
Letras de valor 4 = 1
Letras de valor 5 = 3
Letras de valor 6 = 1
Letras de valor 7 = 2
Letras de valor 8 = 1
Letras de valor 9 = 7

Hecho esto, construimos la Inclusión de Base llenando cada Casa con la cantidad de letras correspondiente:

* La autora se refiere a *Numerología Humanista. Un camino de liberación del Ser*, publicado por esta misma editorial en 1999. [N. de E.]

Casas	1	2	3	4	5	6	7	8	9
Habitantes	6	☀	3	1	3	1	2	1	7

En la Numerología tradicional, estos valores eran considerados sólo a nivel cuantitativo, es decir la cantidad de letras 1, la cantidad de letras 2, etc., y se hacía un estudio superficial a partir de esta información.

Con la Numerología Humanista, vamos a descubrir el significado profundo de cada número, con sus aspectos psicológicos y espirituales, sus relaciones con los otros números y su potencial de liberación y evolución durante toda la vida.

Vamos a considerar estos números como unidades móviles y llenas de vida. Esta Inclusión de Base es el centro de todo el estudio numerológico, porque vamos a relacionar todos los datos con el Habitante de la Casa correspondiente.

Por ejemplo: si tengo un número de Alma 3, voy a mirar quién es el Habitante de la Casa 3. Esto me va a indicar cómo vivo este aspecto 3 en mi vida profunda.

Antes de interpretar esta Inclusión podríamos compararla con un castillo de nueve habitaciones diferentes y con nueve tipos de Habitantes.

Salas		Habitantes
1 -	Habitación del Rey	El Rey
2 -	Habitación de la Reina	La Reina
3 -	Habitación del Príncipe	El Príncipe
4 -	La cocina	El Mayordomo
5 -	Sala de los Caballeros	Los Caballeros
6 -	Habitación Rosa del Amor	Los Enamorados
7 -	La Biblioteca	El Intelectual
8 -	La Sala de Administración	El Administrador
9 -	La Sala de Meditación o Reflexión	El Visionario

Observamos entonces, a primera vista, qué pasa en este Castillo con la Inclusión de Base de María Carolina:

El Rey (1) no está en su puesto, pero su lugar está ocupado por los Enamorados (6); sin embargo el Rey está ocupando otros lugares: la Cocina, la Habitación Rosa del Amor y la Administración. La Reina (2) no se encuentra en su lugar; aparentemente su sala está vacía, pero la encontramos en la Biblioteca. El único Habitante que se encuentra en su lugar es el Príncipe (3) que aparece también en la Sala de los Caballeros. El intelectual (7) se fue a la Sala de Meditación a ver si puede descubrir otras dimensiones para ampliar sus conocimientos.

¿Qué pasa? Casi nadie está en su lugar.
¿Cuál es el acertijo que se esconde detrás de los movimientos de estos personajes en este Castillo?

Primero que nada, debemos observar quien está en su lugar. Vemos que el único que ocupa su habitación es el Príncipe: esto significa que aparentemente tenemos un potencial duplicado en este aspecto 3, que representa la creatividad. Pero podemos observar también que el Príncipe se fue a ocupar la Sala de los Caballeros, que representa los desafíos o el manejo de la libertad.

Luego, debemos ver quién ocupa la habitación del Rey. Históricamente, en los castillos medievales, éste era el lugar jerárquicamente más importante donde se decidía la política, la administración y la estrategia del reino. La imagen no es casual, ya que esta Sala del Rey corresponde precisamente a nuestro modo de afirmar nuestra identidad, o nuestro lugar en la tierra, exactamente como el Rey debía afirmar su puesto en el reino.

¿Qué pasa en el caso de María Carolina?
La Habitación del Rey está ocupada por los Enamorados, es decir que su identidad y su ego se van a afirmar a través de la sensibilidad, de la bondad y de la generosidad. Hay que tener presente que cada vez que volvamos a encontrar al Rey (1) en otros lugares del Castillo: Cocina, la Habitación Rosa del Amor y la Administración, estas

características del 6 van a estar siempre presentes en cada área, matizando los aspectos del Rey (1).

Cuando encontramos una Casa sin Habitante, es decir, sin letra del mismo valor, ponemos un Sol ☀, en vez de un 0 para indicar que esta Casa, aparentemente vacía, se puede llenar de luz, en el sentido de que el cero en el Árbol de la Vida* representa el infinito, la Nada y el Todo posibles. Estos "Soles" representan números kármicos. Antes, estos números estaban cargados de una noción negativa de peso, casi de culpa, producto de lo no integrado en vidas anteriores. Ahora, si transformamos este cero en un Sol, tendremos una visión más optimista de un potencial que se puede llenar. Lo que pasó en nuestras vidas pasadas es un misterio, y el hecho de que no lo recordemos tiene su razón de ser. Los "Soles" nos indican precisamente lo que debemos trabajar en esta vida, algo así como un programa a cumplir. Una vez que nos sentimos en armonía en este aspecto de nuestro ser, significa que superamos un problema kármico: y una vez que lo hemos hecho, no volvemos atrás. El único problema es evitar caer en el exceso: es decir de la Nada pasar al Todo sin mesura y sin equilibrio, y podemos constatar que esto sucede muy fácilmente.

Si miramos el caso de María Carolina, no encontramos letras de valor 2, entonces tiene un ☀ en su Casa 2. Esto significa que en esta vida deberá trabajar especialmente los aspectos de la Casa 2 que son:

- Autoestima.
- Posibilidad de escucha.
- Superación de los miedos a entregarse, a brindarse al otro en una relación amorosa.
- Posibilidad de dar y recibir.
- Manejo de sus emociones sin miedo.

Solamente cuando haya podido aceptarse como es, con felicidad, es que va a poder vivir una relación de pareja equilibrada y durable. Esto significa que habrá llenado su de luz y que habrá superado su problema kármico. Si por otro lado encontramos números 2

* Véase *op.cit.*, cap. 1.

en otros lugares del Tema Numerológico, ponemos también un ☼ al lado de cada uno para indicar que hay un trabajo especial a efectuar en este nivel. Es el caso de María Carolina en su Casa 7; es decir que si ella trabaja los aspectos de conocimiento y de camino interior, va a poder aumentar su autoestima y resolver su problema del ☼ en la Casa 2.

Vamos ahora a entrar un poco más en detalle en lo que es la Inclusión y ver cómo debemos proceder para descifrar su contenido. Pero antes quiero hacer una última recomendación en cuanto a considerar el número como una energía móvil y en constante mutación durante la vida. Si tengo un Habitante 6 en la Casa 1, es probable que lo viva diferente a mis 40 años, que al momento del nacimiento. Debemos entonces tratar a los números o Habitantes de las Casas de la Inclusión como informaciones relativas, matices sobre aquellas potencialidades que hay que conocer, desarrollar y concretar. Podemos hacer un balance del inicio de la vida y de cómo la estamos viviendo hoy.

Es importante plantearnos preguntas para cada Habitante, como por ejemplo:

¿Cómo vivo hoy mi Habitante 6 en mi Casa 1?
¿Con ternura, con armonía?
¿Con el deseo de dar y recibir?
¿O con vulnerabilidad?

Es un ejemplo, pero indica cómo vamos acercándonos a la Inclusión, con una visión dinámica, de movimiento, para evitar poner "etiquetas" a los números y encerrarlos de un modo estático.

Lectura cualitativa de la Inclusión de Base

Para abordar esta lectura cualitativa –la más delicada del Tema, porque de esta visión va a depender la interpretación total del estudio– vamos a empezar con algunas sugerencias.

Definiremos primero las nueve Casas o nueve Áreas de Vida y

veremos luego de qué manera las vivimos de acuerdo con los Habitantes que las ocupan. Para entender mejor el mensaje de las Casas y los Habitantes, sería bueno volver sobre la Simbología de los Números, descripta en el primer libro para poder descifrar mejor la riqueza y la variedad de matices de estos mensajes.

Las nueve Casas o las nueve Áreas de Vida

Casa 1

- Representa el modo de vivir nuestra identidad, nuestro ego, nuestro puesto en el mundo.
- Es decir, todo lo que se relaciona a la dinámica de afirmación de nuestro ser y de nuestro posicionamiento personal.
- Nos indica también cómo tomamos las decisiones y cómo iniciamos nuestros proyectos.
- Marca de qué manera vivimos nuestra independencia y nuestra autonomía.
- Indica cómo proyectamos el Arquetipo Padre.

Casa 2

- Está relacionada con el modo de vivir nuestras emociones, nuestra intuición, el don de escucha, la capacidad de dar y recibir.
- También, detrás de la Casa 2 encontramos los aspectos de autoestima: "cómo me recibo a mí mismo", "cómo me acepto", "cómo me amo a mí mismo".
- El 2 es el número más cargado de energía Yin femenina, por lo que me indica también cómo vivo esos aspectos femeninos en mí.
- Representa la relación con el "otro", es decir: cómo vivo la relación de pareja o cualquier otro tipo de vínculo que sea de a dos.
- Finalmente marca cómo proyectamos el Arquetipo Madre.

CASA 3

- Representa el modo de comunicar con los demás, con nuestros hermanos, nuestros amigos y nuestras relaciones humanas en general.
- Nos indica también cómo desarrollamos nuestro poder de creatividad, de expresión personal y cómo manejamos nuestra imagen social.
- También pone de manifiesto nuestra capacidad de vivir y de disfrutar del "aquí y el ahora".
- Representa el Arquetipo Niño Interior.

CASA 4

- Está relacionada con nuestros marcos de vida y con nuestras raíces con la tierra.
- Nos indica cómo "habitamos" nuestro cuerpo; cómo nos desenvolvemos en el ámbito profesional, cómo nos ubicamos en nuestro hábitat (casa, país).
- Marca de qué manera vivimos nuestras raíces genealógicas, es decir, nuestro rol heredado en la historia familiar.
- Señala fundamentalmente cómo manejamos el mundo concreto, la organización, los recursos económicos, la seguridad material.

CASA 5

- Representa el modo de vivir nuestra libertad, nuestra capacidad de adaptación a los cambios, de aceptar desafíos o nuevos caminos.
- Nos indica también cómo utilizamos nuestro potencial de energía y nuestra sexualidad, así como nuestros aspectos de búsqueda mental y nuestra facultad de análisis.
- Señala también nuestra parte Yang (masculina) y la proyección de la pareja ideal (en el caso de una mujer).

CASA 6

- Nos indica cómo vivimos el amor, las emociones, la ternura en relación hacia nosotros mismos y hacia los demás. Cómo nos expresamos a nivel familiar, de la pareja y de los que nos rodean.
- Nos señala también cómo nos cuidamos y cómo vivimos la paz, la armonía y el bienestar.
- Por ser dos veces 3, marca la presencia de un potencial de creatividad principalmente orientado hacia la búsqueda de la belleza y el contacto con la naturaleza.
- Marca también el modo de expresar el instinto maternal o paternal.
- Representa nuestra parte Yin (femenina) y la proyección de la pareja ideal (en el caso de un hombre).

CASA 7

- Nos indica cómo vivimos el saber, cómo nos manejamos frente a los estudios o cómo utilizamos los conocimientos.
- Representa también la toma de conciencia, la capacidad de reflexión, la forma de transitar nuestro camino interior, conectándonos directamente con la Energía Divina.
- Nos muestra cómo reaccionamos frente a las herencias familiares, culturales y religiosas, así como también con relación a los modelos psicológicos, las estructuras adquiridas y las referencias morales.
- Describe el deseo de exigencia y de perfección, que puede llevar a una forma de autocastigo por no estar a la altura de nuestro propio ideal.

CASA 8

- Nos indica cómo vivimos o manifestamos nuestros talentos y cómo los concretamos utilizando nuestro poder de alquimia sobre la Tierra.
- Nos permite ver cómo nos lanzamos a emprendimientos nuevos para afirmar nuestro poder estratégico.

- Describe también la forma de mantener y administrar nuestro patrimonio, de afianzar nuestro estatus social y de manejar nuestro poder sobre los demás.
- Representa cómo manejamos el sentido de la equidad y la justicia.

CASA 9

- Está relacionada con nuestro modo de vivir el servicio humanitario, cómo nos relacionamos con la energía cósmica, más allá de las fronteras geográficas o mentales.
- Nos indica también cómo vivimos nuestra sabiduría interior y cómo la trasmitimos a los demás.
- Representa la capacidad de conectarse con el inconsciente colectivo y de interpretar el universo de los símbolos, dejándonos guiar por la intuición y el potencial místico.
- Nos señala cómo desarrollamos nuestra capacidad creativa a través del imaginario y de los sueños.
- Nos indica cómo vivimos la compasión.

Los Habitantes o formas de vivir estos aspectos

Los Habitantes van a permitirnos entender cómo o de qué manera vivimos cada aspecto de nuestro ser, representado por cada una de las Casas que venimos de analizar.

HABITANTE 1

De manera autónoma; afirmada, con autoridad y dinamismo, avanzando por impulsos e innovando, con el deseo de ser reconocido en el área correspondiente.

HABITANTE 2

De manera sensible, tierna, suave, con el deseo de compartir con otra persona, escuchando y recibiendo. Puede esconder también aspectos de duda, vacilación o inseguridad.

HABITANTE 3

De manera creativa, animada y comunicativa; con espontaneidad y alegría, cuidando su imagen pública y teniendo la necesidad de ser reconocido y apreciado.

HABITANTE 4

De manera estructurada, concreta, con seriedad, responsabilidad, disciplina y tenacidad. Este Habitante puede significar también paredes de protección o miedos en el aspecto considerado.

HABITANTE 5

De manera móvil, enérgica y libre con el deseo de lanzarse a desafíos o búsquedas nuevas, aceptando los riesgos y las renovaciones siempre con un espíritu aventurero. Tal vez, con una cierta dificultad para domar ese "caballo desbocado".

HABITANTE 6

De manera pacífica, sensual; con el deseo de servir a los demás con amor, generosidad y con el sentido de la armonía, del confort, de la belleza. A veces puede esconder aspectos de vulnerabilidad y una cierta pereza para enfrentar las dificultades de la vida.

HABITANTE 7

De manera reflexiva, profunda, estructurando sus ideas y conocimientos con exigencia, toma de conciencia y un cierto anhelo de perfección, meditando en soledad entre sus estudios y sus libros. Este Habitante puede llevar a un exceso de perfeccionismo y a un aislamiento de los demás.

HABITANTE 8

De manera dinámica, eficiente, constructiva, con el deseo de concretar los talentos y poder de realización; con potencia y estrategia para afirmarse en el área correspondiente. A veces, este Habitante puede manifestarse con exceso de ambición y de vehemencia, que puede tornarse en agresividad.

HABITANTE 9

De manera intuitiva, idealista, con el deseo de vivir a nivel colectivo y universal, con vocación de servicio, del ideal humanitario, de la compasión. Con una gran posibilidad de creatividad y con una fuerte afinidad con el mundo de los símbolos.

Este Habitante puede tener dificultad para vivir lo cotidiano, lo concreto, y corre el riesgo de quedarse en los sueños o en la ilusión.

Antes de explicar de una forma más metódica el manejo de la Inclusión, podríamos volver rápidamente a analizar los Habitantes de la Inclusión de Base de María Carolina.

Lo que llama la atención en primer lugar es la presencia del ☀ en la Casa 2 y al mismo tiempo un 2 con ☀ en la Casa 7. Por lo tanto, la única pregunta a hacer sería: ¿cómo se siente hoy María Carolina consigo misma? ¿Con seguridad, confianza, capaz de recibir y dar sin reservas y de vivir una vida de pareja sin miedos? Si no tiene más aprensiones, significa que ya superó su programa kármico. En cambio, si todavía vive con inseguridades o vacilaciones significa que debe continuar trabajando en este aspecto.

Lo que la podría ayudar a resolver estos titubeos, justamente, sería afirmarse en su camino espiritual donde ese 2 con ☀ indica que es un terreno a trabajar, y que puede funcionar como un atajo para cumplir su objetivo kármico: consolidando su espiritualidad y apoyada en su fuerza interior, no va a tener dificultades en aceptarse plenamente.

María Carolina tiene un Habitante 6 en la Casa 1, lo que hace que viva su ego y su identidad a través de las emociones, del deseo de amar y de ser amada, pero el Sol en la Casa 2 puede teñir al 6 de mayor inseguridad o de mayor vulnerabilidad afectiva aún.

De esto se desprende que nunca podemos considerar un Habitante aislado de los demás, porque –tal como sucede en el Castillo donde todas las piezas están intercomunicadas– estas energías interactúan, matizándose de una manera dinámica.

Para ilustrar esto, observamos que los Habitantes 1 de las Casas 4, 6 y 8 son Habitantes matizados por los aspectos del 6 de la Casa 1. Esto significa que en las áreas consideradas del trabajo (Casa 4), de la relación afectiva con los demás (Casa 6) y de la concreción de los talentos (Casa 8), María Carolina quiere ser reconocida por su Habitante 1, el cual, sin embargo, no funciona "puro" sino teñido de sensibilidad, emoción y benevolencia.

La pregunta, entonces, debería plantearse de este modo: ¿cómo María Carolina vive hoy su identidad y su ego? ¿Con armonía y dulzura o con vulnerabilidad y preocupación de no ser amada? Esta respuesta nos va a dar la clave de cómo van a operar estos Habitantes 1 de las Casas 4, 6 y 8.

El hecho de que el Habitante 3 ocupe su propia Casa nos confirma que María Carolina cuenta –normalmente– con el poder de creatividad, de expresión y de comunicación con los demás, duplicados.

Pero esto no excluye el que nos interroguemos sobre cómo vive hoy María Carolina esta creatividad. ¿Con plenitud, alegría y goce, o bien con temores escondidos detrás de este *doublet*?*

La respuesta nos va a permitir definir el Habitante 3 de la Casa 5, que normalmente indicaría una apertura humana a lo diferente, a los desafíos, con el deseo de disfrutar de toda experiencia nueva para compartirla con sus amigos.

Lo que se destaca de la Inclusión de María Carolina, entonces, es la presencia de un gran potencial creativo debido al 3 en su propia Casa y en la Casa 5, reforzado en este caso por el 6 en la Casa 1, que se puede interpretar también como dos veces 3.

Todo esto nos obliga a plantearnos una pregunta más amplia: ¿María Carolina es capaz de desarrollar todo este potencial creativo, a sabiendas de que este poder puede estar inhibido o limitado por una falta de confianza en sí misma, producto de su 2 con ☀?

---

* Corresponde al Habitante equivalente a la Casa que ocupa.

Finalmente, si consideramos el Habitante 7 de la Casa 9, constatamos un deseo de colaborar con la humanidad a través de los conocimientos, con un ideal de perfección y de gran exigencia. Pero este aspecto puede quedarse a nivel mental debido a las dificultades para concretarlo. La pregunta en este caso sería: ¿cómo logra plasmar hoy María Carolina todo su anhelo de ideal humanitario?

Éste es un ejemplo –entre muchos otros– de cómo manejar la interpretación cualitativa de la presencia de los Habitantes en la Inclusión. Lo importante es considerar a los Habitantes como energías puras que actúan entre sí, en permanente evolución.

Hay varias otras formas de lectura de la Inclusión. Podemos analizarla a diferentes niveles:

1. Casa por Casa

Observamos cuál es el Habitante de cada Casa, para familiarizarnos con él y ver las relaciones entre cada Habitante y la Casa que ocupa. Al hacer esto, debemos dejar fluir nuestro hemisferio cerebral derecho que contiene toda la energía de la intuición y de la comprensión sutil y global.

Observamos qué pasa:

¿Qué pasa con este Habitante 1 de María Carolina que se repite en diferentes áreas y no se encuentra en su propia Casa?

¿Qué pasa con el 🜨 de la Casa 2 y este 2 que se encuentra en la Casa 7?

Debemos aprender a observar los números y dejar que nos trasmitan sus mensajes sin conclusiones a priori, sin ideas preconcebidas.

Hagámonos 2 preguntas:

1. ¿De qué forma vivimos los diferentes aspectos de la vida?
La respuesta es el Habitante de la Casa.
2. ¿En qué lugar?
La respuesta es el número de la Casa que indica o señala el sector, el terreno de evolución.

Otras preguntas importantes a plantearse:

¿Cuáles son las capacidades potenciales en cada uno de los nueve sectores?

¿Cómo se pueden valorizar de un modo consciente y responsable?

2. Los Habitantes en su domicilio

Cuando tenemos el mismo número de Habitante en la Casa correspondiente, decimos que el Habitante "está en su domicilio". Lo llamaremos un *doublet* en la Inclusión. Por ejemplo en el caso de María Carolina: el Habitante 3 se encuentra en la Casa 3.

El mensaje del número, entonces, aparece reforzado, con los aspectos más definidos. Pero a la vez, puede suceder que el Habitante en su domicilio esconda miedos y dificultades para expresar el potencial del número.

Aquí las preguntas importantes son:

¿Cuáles son los aspectos o Casas donde el Habitante está en su domicilio?

¿Este número se encuentra en otros lugares del Tema?

Si está muy presente, es un potencial grande a utilizar; en cambio si está poco presente indica que hay que insistir sobre la importancia de desarrollar este aspecto.

3. Los desplazamientos

Las mudanzas son posibles. Ciertos Habitantes prefieren vivir en otros lugares, en vez de en la Casa que les es propia.

Podemos encontrar un desplazamiento único donde el Habitante no está en su Casa, pero se va a encontrar únicamente en otra Casa. Esto indica que trae a esta Casa toda su energía y le da más fuerza a este nivel. Es el caso de María Carolina, con la Casa 2 ocupada por un ☀ y el 2 en la Casa 7, que ya analizamos anteriormente.

4. Los desplazamientos múltiples

En estos casos, el Habitante no aparece en su Casa, pero aparece en varias Casas.

Es el caso del 1 de María Carolina, que no se encuentra en su Casa pero sí en las Casas 4, 6 y 8. La energía del 1 está distribuida en diferentes sectores, y su manejo se va a ver facilitado cuando sepa utilizar bien este aspecto de su vida.

Esto funciona de manera similar a una "reacción en cadena" o un juego de dominó, donde el movimiento de una pieza desencadena modificaciones en todos los demás: o sea, una vez que María Carolina logre ser más segura en algún aspecto de su vida, instantáneamente se va a afirmar en todos los demás terrenos donde aparezca un 1.

5. Los desplazamientos con base

Un número puede aparecer en varias Casas pero a la vez estar en su domicilio. Por ejemplo: sería el caso del 3 en la Casa 3 que encontramos también en la Casa 5 o en la Sala de los Caballeros.

6. Los intercambios

El Habitante puede hacer un intercambio con otro Habitante. En el caso de María Carolina, el Habitante 1 se encuentra en la Casa 6 y el Habitante 6 en la Casa 1.

Significa que estos dos aspectos van a estar relacionados de un modo especial, que hay que tener presente durante todo el análisis del Tema, ya que la vivencia plena de un aspecto se va a realizar a través del otro número en cuestión.

No hay que olvidar que probablemente todos los otros 1 del Tema estarán teñidos también de estas características del 6 e igualmente las características del 6 van a estar matizadas por el 1.

Las relaciones privilegiadas

Ciertas Casas se deben relacionar siempre, sean cuales sean los Habitantes, para poner en evidencia la reproducción de ciertas actitudes.

Por ejemplo: si la Casa 1 representa el Arquetipo Padre, en la Casa 5 encuentro la forma de vivir mi energía masculina y a la vez el modelo de hombre que sueño a nivel de pareja. Estos dos Habitantes me van a indicar si estoy tratando de reeditar el "modelo papá" o si por el contrario estoy buscando un tipo de hombre diferente.

La Casa 2 representa el Arquetipo Madre y la Casa 6 la forma de vivir la feminidad o la mujer en la pareja. Entonces podemos analizar si continuamos "el modelo mamá", la "línea maternal" si tenemos el mismo Habitante en las dos Casas, o si vivimos estos aspectos afectivos de modo diferente.

Si encontramos el mismo Habitante en las dos Casas está claro que continuamos con el "modelo" del padre o de la madre reeditado en la pareja. Pero si tenemos un Habitante diferente en las dos Casas, es que probablemente queremos vivir de un modo diferente del modelo materno o paterno, a la vez que puede indicar el querer cortar con un comportamiento kármico que puede llegar a perpetuarse por varias generaciones.

Algunas recomendaciones

La Inclusión no se debe leer de corrido, sino que se debe utilizar como una herramienta de informaciones adaptada a cada persona.

Es decir, utilizarla casi como un diccionario, donde se va a buscar una información precisa, para evitar la sobrecarga de datos.

Lo ideal es aplicarla a casos concretos, con nuestra propia Inclusión, o con la de personas conocidas.

Al final de la descripción de cada Habitante en su Casa, añadimos la información del Puente Iniciático que se debe considerar como una pista o una "guiñada" para pasar al otro lado del río; es decir, para ayudarnos a vivir en armonía con los aspectos correspondientes.

Se calcula haciendo la diferencia aritmética entre el Habitante y la Casa que lo hospeda.

Este tema lo abordaremos de modo más preciso en un capítulo posterior.

- II -
DESCRIPCIÓN DE LA INCLUSIÓN
CASA POR CASA

Dedico totalmente mi vida
a la manifestación del Ser Divino dentro de mí.
Ningún obstáculo puede detenerme,
los atravieso todos con energía, coraje y confianza.
Dios me acompaña y me soporta en su energía y en su luz.

La Casa 1

Describe:

* La estructura del ego.
* Mi puesto, mi lugar, mi identidad en el mundo.
* Mi dinámica de afirmación.
* Mi modo de lanzarme a proyectos nuevos.
* La visión que tengo de mi padre y mi relación con él.

0 en la Casa 1

La persona tiene dificultad para construirse, para afirmarse, para tener un sentido preciso de su ego. Debe, entonces, trabajar para identificarse y encontrar la llave que le va a permitir abrir las puertas de su identidad.

No olvidemos que el 0 representa el "todo posible". Entonces cuando encontramos este caso, muy raro, debemos ayudar a la persona a afirmar lo que es y a la vez mirar si encontramos otros 1 en otras Casas de la Inclusión que puedan ser para él una herramienta para trabajar su identidad.

Por ejemplo: si el 1 se encuentra en la Casa 3 o 4, significa que es a través de la comunicación o de la creatividad, o a través de su trabajo, que la persona va a descubrir su identidad. Resolviendo las áreas del 1 en cualquiera de las otras Casas en las que aparezca, automáticamente su identidad se verá fortalecida; es decir, su Sol se llenará.

Padre: Alguien con esta combinación, tiene una impresión de su padre poco definida. Es la percepción de un padre ausente, sin consistencia, distante, y muchas veces esta figura se vive idealizada, justamente por la necesidad de llenar el hueco dejado.

1 en la Casa 1

El 1 está en su Casa, en su domicilio. Tenemos un *doublet*, lo que significa que el 1 se vive con una intensidad doble. Aumenta su fuerza y duplica las nociones de autonomía, independencia y la necesidad de afirmarse.

Libera también el potencial de liderazgo, de pionero, de inventiva, de locomotora; pero a su vez pueden aumentar los aspectos negativos del 1: agresividad, impaciencia, egocentrismo y los complejos de superioridad.

La existencia se vuelve un desafío permanente, en la cual debe vencer y ser el primero.

Esta vibración contiene una fuerza extraordinaria para abrir caminos, para iniciar rutas, para guiar a los otros en la acción. Esto, unido a su poderosa fuerza vital, lo hace sentirse importante, pero no hay que olvidar que el 1 "es" importante.

Padre: Percibe a su padre a través de este "1" como alguien directo, frontal, exigente, autoritario, pero con todo el carisma de un líder, de un hombre de acción, con gran dificultad para manifestar sus sentimientos y para expresar su ternura.

Para un hijo, la identificación con su padre es fuerte y le crea dificultades para despegarse de este modelo de mucho peso.

Para una hija, el padre está idealizado y ubicado en un pedestal. Por lo tanto, a ella le resultará muy difícil encontrar una pareja a la altura de su padre. Y para ser reconocida por éste va a desarrollar sus energías Yang (masculinas).

2 en la Casa 1

Tenemos un contraste entre el 1: muy lanzado, energético y exterior, y el 2: prudente, dependiente, tierno, dulce e indeciso.

Tenemos la unión de lo femenino y lo masculino; la unión de dos tendencias opuestas (Yang y Yin).

La autonomía de la persona o la afirmación de su ego se vive con dudas, pasa por la necesidad de sentirse apoyada por el otro; su energía es una mezcla de acción rápida y de escucha a sí mismo.

Para afirmar su identidad necesita la aprobación y la mirada del otro, sentirse sostenida, apuntalada, confortada. Maneja con arte la diplomacia y la discreción, ya que detesta los enfrentamientos.

Puede lanzarse a 2 direcciones diferentes y engendrar conflictos y contradicciones, ya que el 2 es también dualidad, vacilación.

La presencia del Habitante 2 en esta Casa 1, va a hacer que los sentimientos y la intuición prevalezcan sobre las grandes ideas y los grandes emprendimientos.

Padre: Ve a su padre como indeciso, lunático, un poco débil. Dubitativo, poco autoritario, que tiene dificultad para afirmarse; pero a la vez sensible, que sabe escuchar, dar y recibir ternura.

Puente: 1

Necesita afirmarse, tener más confianza en sí mismo, hacer surgir el aspecto Yang del ego, sin olvidar todo el aspecto de sensibilidad y de escucha del 2.

3 en la Casa 1

La construcción de la imagen de sí mismo es aquí muy importante.

La persona va a vivir su ego y su identidad a través de la comunicación, del contacto con los demás, de la creatividad. O sea, a nivel de la palabra o de la creación artística y más que todo, de la imagen que va a dar a los demás. Debido a esto, tendrá dificultades en centrarse y en encontrar su propia identidad. Necesita de su público, sus amigos, las fiestas, la simpatía y la aprobación de los demás.

Está dividido entre lo que quiere que los otros piensen de él y su propia personalidad. Vive a un nivel muy exterior y tiene dificultad en afirmar su identidad, debido a su imperiosa necesidad de hacer concesiones para agradar.

A su vez, tiene todo el encanto de la alegría de vivir, el saber disfrutar, la generosidad y la bondad. No puede vivir sin compartir con los otros.

Dentro de él habitan enormes talentos en materia creativa, dones para la pintura, la música, las relaciones humanas, y su arte reside en una enorme calidez, producto de su misión en este mundo que es "amar y ser amado".

Tanto es así que si no fue bien recibido por sus padres al nacer, puede bloquear totalmente su 3, vivirlo a la inversa y volverse introvertido.

Padre: Lo vive como poco presente afectivamente y poco disponible para sus hijos, volcado al exterior, a los amigos, a sus necesidades públicas, pero a la vez como un padre comunicativo, lleno de alegría y de humor.

Puente: 2

Nos sugiere dar espacio al "otro", saber acogerlo, prestar atención a su propia intuición, trabajar la flexibilidad, la humildad y la propia interioridad, para encontrar su equilibrio.

4 en la Casa 1

Tenemos la cohabitación del 1, rápido, activo e impaciente y del 4 que desea progresar lenta pero confiadamente, con respeto a la tradición y la preocupación por mantenerse protegido.

Este ego se afirma a través del cumplimiento del deber, con temor a ser rechazado por la familia, la religión, etc. Este miedo a avanzar más allá de ciertos límites fijados o que él se autoimpone, le impiden afirmar su identidad.

Toda la energía se concentra en el trabajo bien hecho. Hace todo para no recibir ningún reproche. El trabajo es la principal fuente de valorización: "es" su trabajo. Tiene dificultad para relajarse, para descansar.

Este tipo de persona se construye de un modo independiente y desea ser reconocida por sus acciones meritorias. Su valor personal depende "del sudor de su frente", del peso de la vida.

Para avanzar y dar todo su potencial, debe liberarse de los muros protectores, de sus normas y leyes, para dejar surgir sus capacidades y dones: honestidad, perseverancia, lealtad, integridad, responsabilidad, constancia; cualidades éstas que en el Árbol de la Vida están asociadas a *Heshed*, la Abundancia.

Debe orientarse hacia proyectos seguros y serios, en los cuales pueda dar todo su tiempo, su potencial energético.

Si no logra salir de sus paredes, puede sufrir bloqueos psicológicos con complejos de inferioridad.

El consejo: no olvidar que siempre se pueden abrir las paredes y dejar espacio para un horizonte mental y afectivo más amplio.

Padre: La convivencia con el padre puede ser difícil y limitada al compartir el trabajo y la responsabilidad de la vida. La comunicación se realiza a través de frases de este tipo:

- "Tú debes estudiar, trabajar...".
- "No sueñes, sé serio, responsable".
- "Debes hacer esfuerzos, de esa forma tendrás tu recompensa".

Hay tres soluciones posibles para el hijo o hija:

- entra en el molde del padre pensando que es la única solución;
- se rebela y se vuelve en contra de su padre en una batalla permanente;
- se escapa, en la adolescencia, y huye.

La visión de este padre es de responsabilidad, seriedad y trabajo; puede dar también seguridad y marco de vida, y es por lo general muy honesto, responsable e íntegro.

Puente: 3

Para liberarse un poco de estos muros rígidos, este puente propone desarrollar la comunicación, el contacto con los demás, la alegría de vivir y el relax. Propone también desarrollar la confianza en sí mismo a través de la creación artística, de la creatividad.

5 en Casa 1

Estamos en una cohabitación casi explosiva, con dos energías Yang muy poderosas y muy similares, donde se dan la mano la audacia, la vivacidad y la energía.

La persona es autónoma, hábil, manipuladora, con un gusto marcado por los desafíos. Tiene una gran curiosidad intelectual por todo y se adapta fácilmente a los cambios y a la movilidad de su vida.

Su energía vital y su dinamismo le permiten superar todas las pruebas de la vida; es un guerrero que siempre quiere vencer los obstáculos. Debemos tener presente que en el Árbol de la Vida es *Geburah*, el Rigor, y su símbolo es la Espada.

Su inquietud no es sólo a nivel físico, sino que también a nivel mental quiere probar y experimentar todo, al igual que un picaflor en permanente movimiento. Esto lo lleva a ser inconstante en sus emprendimientos por exceso de curiosidad, llegando así a abandonar los frutos de un esfuerzo a medio camino, por el placer de cambiar o simplemente por falta de paciencia.

Le gusta más que todo su independencia y su libertad, y algunas veces puede ser rebelde y no soportar ningún tipo de autoridad.

Por demasiada energía vital se puede volver impaciente y algunas veces agresivo.

Padre: El padre se percibe como muy abierto, muy libre, muy independiente. Un padre que "vivió su vida", y que algunas veces es impaciente e irascible. Pero a la vez, este padre puede ser el modelo del padre culto que abre la mente a nivel del mundo.

Puente: 4

Invita a la persona a buscar más seguridad en sus bases, en su "pista de despegue". Es importante para ella tener sus raíces, su casa. Hay una invitación también a moderar la velocidad de la vida y a considerar más las condiciones concretas, las exigencias materiales y físicas: "Quien desee viajar lejos debe tratar con cuidado su cabalgadura".

6 en la Casa 1

Encontramos aquí el contraste entre el 1 muy lanzado y el 6 muy tranquilo, dulce y lleno de amor. El modo de actuar en la afirmación de la identidad será a través de la conciliación, con calor humano, con flexibilidad.

El 6 necesita complacer a todos para ser amado, por eso en sus decisiones siempre tiende a tomar demasiado en cuenta al otro.

El ego aquí está orientado hacia el servicio, al deseo de asumir las responsabilidades afectivas con mucha gentileza. El individuo se siente líder en el seno de su propia familia o de su comunidad, y en su deseo de servir y de ayudar puede llegar hasta el sacrificio y al olvido de sí mismo.

La prioridad del 6 es afirmar su personalidad en el seno de su familia, de su hogar, y vivir en paz, en armonía dentro del grupo de sus afectos.

Todo lo relacionado con la nutrición sana, la ecología, la cura del propio cuerpo le interesan. Vive a nivel de las emociones, de los sentimientos, está atento a los mensajes de su propio cuerpo. Le gusta complacer y también complacerse a sí mismo.

Para él, la naturaleza y su equilibrio, la belleza y la sensualidad son la base de todo. En forma especial este sentido estético le proporciona grandes dones de creatividad artística, fundamentalmente relacionados al color.

Su gran tarea es aprender a manejar sus emociones para no sufrir, ya que este exceso de sensibilidad lo vuelve sumamente frágil y vulnerable.

Padre: Se lo vive como un hombre de paz, tranquilo, con valores de sensibilidad, de no-violencia, de receptividad. Un padre que da prioridad a los sentimientos, a la familia y al cariño. Puede ser también la imagen de un padre demasiado frágil, que tiene dificultad para imponerse en la vida.

En el caso de que el padre no responda a esta imagen, la relación se puede vivir a nivel de la frustración o del sufrimiento. Para entender el comportamiento de un padre poco demostrativo o frío debemos ver lo que pasó con sus propios padres; si no recibió ternura, amor y cariño, no lo puede transmitir a sus hijos.

Puente: 5

Este puente invita a dar más empuje y energía a este 6, inyectándole más fantasía y curiosidad para evitar quedarse en este estado de letargo, que le es más afín en la medida en que no arriesga su bienestar y su calma.

7 en la Casa 1

La persona tiene gran necesidad de elevación personal, de perfección, de exigencia consigo misma. Tenemos nuevamente la combinación de dos números Yang, con una energía muy afirmada. El 1 lanzado, enérgico, y el 7 que vive a nivel de su mente, de sus conocimientos y de su exigencia de perfección.

Estos dos son números muy rígidos y estrictos y pueden desarrollar tendencias de autosuficiencia, de independencia y de orgullo.

Pero en realidad, esta combinación esconde una gran vulnerabilidad afectiva y una soledad por la dificultad de expresar sus sentimientos y sus emociones. Los dos conviven a nivel de la mente, con una gran dificultad de bajar hasta el corazón y las emociones.

Éste es un ego de gran voluntad, exigencia, seriedad que tiene dificultad de vivir la alegría, la fiesta, el amor y el saber disfrutar de la vida cotidiana.

El 7 posee el sentido de la belleza y de la estética; vive para encontrar estos valores en su vida y también en sus relaciones y no puede soportar la mediocridad por su elegancia natural.

Padre: Lo ve como un padre rígido, severo, muy frío y mental. Es un padre con una personalidad fuerte, exigente, orientado hacia el éxito intelectual de los hijos. Éste es un padre, normalmente brillante, idealizado por el hijo que fácilmente lo puede ubicar sobre un pedestal, de un modo casi irreal, buscando a través de esto compensar la falta de manifestaciones afectivas.

Puente: 6

Este puente nos invita a trabajar el universo de las emociones, del cuerpo, de la relajación. La persona necesita saber expresar y recibir ternura y amor; vivir con más tolerancia y permisividad.

8 en la Casa 1

Tenemos aquí la mezcla del empuje, de la energía con la audacia, el coraje, la ambición y la potencia. Este ego se impone por su fuerza, su inteligencia, su imparcialidad.

Tiene una gran eficiencia pero le pueden faltar a veces la flexibilidad y la diplomacia.

La persona puede vivir con un gran sentido de justicia y de generosidad y ser capaz de defender sus intereses con mucha determinación.

Tiene una gran capacidad de organización y una energía al servicio de proyectos y deseos potentes. Busca desafíos y confrontaciones de un modo permanente, para concretar y hacer producir sus talentos.

Es una persona con una gran fuerza de carácter y una inagotable confianza en sí misma, acompañada a su vez de una fuerte exigencia y de una violencia latente. Puede tener tendencia a la intolerancia y a los impulsos imprevistos.

Esta combinación ofrece una gran vitalidad y sólidos recursos para afrontar la batalla de la vida, a condición de saber utilizar bien lo que tiene entre manos.

Afirma su identidad y su puesto en el mundo a través de la manifestación de sus talentos y de su don de alquimia en la transformación de la materia. Pero si no logra esto, su frustración puede ser enorme, ya que toda esta energía se puede volver en su contra.

En este caso es importante ver quién es el Habitante de la Casa 8 para indicar el modo de vivir este 8.

Padre: Ve a su padre como poderoso, manejando muchas energías y distante por estar demasiado ocupado en tareas concretas.

Probablemente un padre que tiene un estatus social y profesional muy alto. Eso hace que sienta que él no puede asumir, a la vez, una vida social reconocida y las demandas afectivas de su familia.

Puede ser el ejemplo de un padre que sabe utilizar y manejar sus dones y talentos para dar seguridad a su propia familia. Es un buen proveedor en lo material, pero sus hijos desearían que estuviese más presente en la parte afectiva, siendo más cariñoso, más compañero.

Para los hijos –sobre todo un hijo varón–, es difícil afirmar su identidad con un padre tan poderoso y fuerte.

Puente: 7

Es una invitación a orientarse hacia sus recursos más profundos y personales, su "Maestro interior" con fe y perseverancia.

Se sugiere tener una actitud de observación, de autoconocimiento y tomar distancia del éxito material, para saber manejar el equilibrio del poder y evitar así las trampas del materialismo.

9 en la Casa 1

Tenemos aquí la combinación del 1 autónomo y dinámico, con el 9 que vive en función del servicio humanitario.

Conviven dos tendencias opuestas en forma simétrica –egocentrismo (1) y generosidad (9)– que están indicando la necesidad de encontrar un equilibrio entre un camino independiente y unidireccional (1), y un camino con la amplitud y la capacidad de adaptación a mensajes humanistas por encima de barreras políticas, culturales o sociales (9).

Cohabitan aquí la impetuosidad del joven caballero con el "sabio conductor silencioso".

Esta persona debe aprender a estabilizar o canalizar sus impulsos de generosidad y servicio, imponiéndose el camino a seguir para evitar ser demasiado original o estar fuera de la realidad.

La persona debe tratar de estabilizar las emociones de un ego siempre insatisfecho en sus sueños de universalidad y sus proyectos un poco utópicos.

La dificultad de esta combinación es el saber concretar esta mezcla de ideal, de sensibilidad y de amor universal, junto con el deseo de ser reconocida a través de estas cualidades.

Hay en este ego un deseo de bondad, de amplitud de conciencia, de servicio, que se deben manifestar en lo concreto y no quedar a nivel de los sueños o de la ilusión.

Padre: Es un padre que representa un modelo de humanismo y perfección espiritual; que puede provocar dificultad en el hijo para afirmar su puesto frente a este hombre generoso y apasionado, pero difícil de seguir.

Puente: 8

Este puente nos invita a la concreción, a "aterrizar" los proyectos y llevarlos a la práctica. A apoyarnos en el trabajo estable y organizado, para evitar que las "grandes ideas" se volatilicen como "cometas" o queden a nivel de los sueños.

Es un desafío a utilizar su poder para construir en lo concreto.

La Casa 2

Describe:

- La forma de vivir las emociones.
- La capacidad de escuchar, de acoger al otro y asociarnos con él.
- La aceptación de mí mismo.
- El vínculo con mi pareja.
- La relación o la visión de mi madre.

0 en Casa 2

Aquí esta Casa parece estar vacía, pero se puede llenar. Detrás de cada 0 se perfila la potencia del 1. En efecto, el 1 procede del 0 Infinito, la Gran Matriz de todas las energías, como ya lo vimos en el Árbol de la Vida. Es decir que este 0 se puede llenar totalmente, si somos conscientes de lo que debemos cambiar.

La persona tiene dificultad para aceptarse y para amarse. Duda de sí misma y, dudando de sí misma, duda también del otro.

Tiene dificultad para confiar en el otro o para recibir de él, por miedo a ser engañada. Miedo de recibir por temor a volverse deudor del otro, dependiente de los deseos del otro o de una bondad invasora. Pero, en realidad, esto esconde un inmenso deseo de ser ayudada, aconsejada y escuchada.

Debemos mirar si hay otros 2 en puntos importantes del Tema; si no los hay esta inseguridad afectiva es fácilmente superable porque probablemente la lección del 2 ya ha sido trabajada en otras vidas. Si por el contrario encontramos otros 2 en puntos importantes del Tema, debemos trabajar especialmente estos aspectos.

El gran trabajo a realizar es recuperar la autoestima, el amor y la confianza en sí mismo; sentirse capaz de hacer o de avanzar en la vida sin esta tendencia permanente al autocastigo o a la autodestrucción.

Debido a sus problemas en vidas anteriores (desconocidos), la persona tiene dificultad en integrar o en desarrollar sus aspectos femeninos: dulzura, ternura, intuición, sensibilidad, maternidad, seducción, etcétera.

Madre: Puede indicar la ausencia de ésta o bien una comunicación difícil con una madre distante e inaccesible. Puede indicar también un rechazo inconsciente de su propia feminidad y una dificultad de aceptar la feminidad de su madre. Puede existir, asimismo, la posibilidad de que se trate de una madre que sufrió, a su vez, de una madre posesiva y dominante, que no supo escuchar las necesidades afectivas de su hija. No olvidemos que una vez que somos conscientes de los bloqueos que tenemos a este nivel, podemos arreglar todo a través de nuestra voluntad y de una visión nueva hacia nosotros mismos.

1 en la Casa 2

Aquí encontramos la contradicción entre la acción dinámica, la voluntad del 1 y la sensibilidad, la prudencia y la dependencia del 2.

Toda la afectividad de la persona se manifiesta en el dar, lo que corresponde a una energía Yang hacia afuera, pero a su vez con una gran dificultad en recibir para no verse expuesta a una situación de inferioridad, que la vuelve vulnerable.

Cuenta sólo consigo misma y busca siempre la posición dominante, aceptando difícilmente los consejos del otro. En realidad, la persona se defiende de su propia sensibilidad y establece contactos rígidos con los demás; permanece reservada e independiente. Vive más su afectividad a nivel mental; tiene miedo de su intuición y de sus propias emociones.

Se establece una contradicción entre la necesidad de ser protegida y escuchada y el deseo de afirmación personal. Esta tensión puede provocar nerviosismo e irritabilidad.

Madre: Ve a su madre como poco femenina, poco tierna y dominante. Una madre que probablemente tiene tendencia a manejar la casa. Debemos establecer una comparación entre los Arquetipos de la Casa 1, el Padre, y el Arquetipo de la Casa 2, la Madre, para determinar quién es el más fuerte. Si en la Casa 1 hay un 2, y un 1 en la

Casa 2, significa que los papeles de los padres están invertidos; la visión que se tiene de la madre es de tipo Yang (con características masculinas).

La vivencia de esta madre tiene matices diferentes para un hijo o para una hija, a saber:

El hijo varón ve a su madre dominante y sobre todo incapaz de soportar sus expresiones de sensibilidad o de ternura, obligándolo a suprimirlas.

En el caso de una hija, podemos encontrar dos tipos de reacciones: o bien continúa con la línea Yang reproduciendo el modelo de mujeres dominantes o "cabezas de familia"; o por el contrario, desarrolla lo opuesto, es decir, componentes hiperfemeninos con una sensibilidad exacerbada y una gran necesidad de acoger, de aconsejar, como forma de afirmarse por oposición a la figura de su madre.

Puente: 1

Este puente nos ayuda a reafirmarnos en nuestra identidad a través de las emociones y de la sensibilidad. Para un hijo varón es un modo de recuperar lo bueno de su energía masculina (Yang).

2 en la Casa 2

El número 2 vive en su Casa. Tenemos un *doublet*, es decir, que todas las características del 2 –dualidad, sensibilidad, intuición y receptividad– están doblemente afirmadas.

En el Árbol de la Vida comprendemos claramente cómo funciona este 2 que todo lo contiene en estado de latencia –como un capullo o una crisálida a florecer– pero que no lo exterioriza y lo vive todo a nivel interior. No hay que olvidar también que *Hochmah* significa la Sabiduría Revelada al 2, capaz de recibirla, de asimilarla, de hacerla germinar en el terreno adecuado.

La persona quiere ser ayudada y sabe recibir lo que viene del exterior. Tiene una gran riqueza interior, pero no sabe valorizarla.

Normalmente tiene complejos de inferioridad por falta de confianza en sí misma. Se moldea, se deja llevar por el otro y tiene dificultad para afirmarse por el temor a ser rechazada, o no ser amada.

Su permanente dualidad es otro handicap que no le permite expresarse con claridad y la obstaculiza en su camino de afirmación.

Posee una gran diplomacia, discreción, necesidad de tranquilidad, de colaboración y está animada por un gran ideal de paz y ternura.

Busca cariño y armonía al lado de la persona en quien confía; necesita una pareja equilibrada y estable que le ofrezca frecuentemente su aprobación, su estima, ya que su visión de sí misma es un reflejo de la opinión de los demás.

Si esto no sucede —es decir, si no se siente constantemente valorizada— puede tener tendencias depresivas por su falta de autoestima.

Su gran fuerza reside en esta capacidad de ser un delicado confidente, alguien que acoge con bondad, con suavidad y sensibilidad al otro. Tiene una intuición privilegiada que le permite captar automáticamente todas las situaciones y los seres a su alrededor.

Su hipersensibilidad le puede impedir defenderse de las agresiones externas ya que funciona como "una esponja que todo lo absorbe" sin exteriorizarlo, al punto de llegar hasta la asfixia.

Madre: Normalmente la visión es de una madre sensible, idealizada, capaz de escuchar a sus hijos, pero también indecisa y dependiente de su marido. Se puede ver como una madre sin personalidad afirmada y que se escapa para evitar los enfrentamientos.

En el caso de un hijo varón, éste tiene dificultad para desvincularse de una madre con quien tiene una relación muy simbiótica. Es un caso típico de complejo de Edipo, donde el cordón umbilical demora en ser cortado.

Para una hija, hay una fuerte relación afectiva pero con elementos contradictorios, que oscilan entre una necesidad de ser sostenida y protegida por su madre y al mismo tiempo el rechazo hacia una dependencia que la sofoca y no le permite ser ella misma.

No hay puente, porque el Habitante está en su Casa, pero algunas veces esta combinación esconde dificultades tan serias como tener un Sol.

3 en la Casa 2

La persona vive toda su sensibilidad con originalidad, entusiasmo, humor, espontaneidad. Sus dones de creatividad artística se pueden desarrollar en estrecha colaboración con alguien que la apoye.

Debido a su fina sensibilidad, necesita exteriorizar su capacidad de relación a través de la calidez y la ternura; los intercambios, entonces, son necesarios sobre todo a nivel de la pareja.

La alegría de vivir salpimienta las cualidades diplomáticas de armonizador y de conciliador. Su ternura pasiva se ve enriquecida por una sensualidad jovial. Esta persona necesita ser valorizada a través de la admiración de los demás.

Es alguien con mucho encanto, que se preocupa de ser agradable con los otros y consigo mismo.

Madre: Puede dedicarse a la música, ser profesora, periodista, etc. Es una madre activa, creadora, con la expresión fácil, con una inteligencia muy fina y un buen sentido del humor. Sabe apreciar las buenas cosas de la vida, la alegría y el disfrute cotidiano. Una madre más volcada al exterior, no tan atenta a la vida de su propio niño, el cual se puede sentir frustrado y lastimado por una madre "muy societera".

Para un hijo, significa que desea continuar este modelo, pero expresando sus dones artísticos en terrenos distintos de los de su madre como modo de diferenciarse de ella.

Para una hija, representa un modelo ambivalente que ocupa mucho espacio y con la cual es difícil competir, debido a que la madre puede rápidamente considerar a su hija como una rival.

Puente: 1

Es una invitación a encontrar un camino de expresión personal entusiasta y dinámico. También es muy importante concentrarse en sus impulsos más genuinos y profundos para lograr la autoafirmación.

4 en la Casa 2

Aquí tenemos el encuentro de la sensibilidad y la apertura del 2 con la estructura y la estabilidad del 4.

Un 4 que puede representar una traba a esa apertura por miedo a perder o a ser abandonado. Hay una voluntad expresa de "encarcelarse", de vivir entre muros protectores donde las emociones son vividas de un modo prudente, con gran necesidad de seguridad.

Hay poca fluidez en los intercambios afectivos, sobre todo en los primeros años de vida, con la madre y especialmente con las mujeres que representan la tradición. La persona tiene desconfianza y cultiva esta reserva. Tiene miedo de ser invadida y de perderse en el otro. Le cuesta entender que una buena relación con el otro sólo se puede construir cuando no hay más miedos en sí mismo.

El 4 tiene miedo de amar y de ser amado, miedo de ser abandonado y de ser excluido de su propia familia que representa sus raíces y su seguridad. Puede también proyectar sobre el otro sus miedos y sus angustias y encerrarlo del mismo modo, dictándole lo que debe hacer o cómo se debe comportar. En este caso encontramos paredes de ambos lados.

Este 4 en la Casa 2 es revelador de una gran timidez, de una cierta "parálisis afectiva"; es una persona angustiada y lanza un doble llamado: tiene necesidad de protección física y psicológica, así como necesita ser escuchada.

En definitiva, va a encontrar su seguridad en el trabajo donde los contactos humanos son importantes.

Madre: Los hijos ven a su madre a través del trabajo y del éxito material. Esta madre se lamenta de la vida difícil que lleva y a su vez no le hace la vida fácil a los demás. Es rígida, exigente, muy encerrada en las reglas, en el "deber". Le falta ternura, flexibilidad, humor.

Probablemente es una madre que sufrió mucho en su vida y por eso levantó a su alrededor paredes protectoras.

Puente: 2

Sugiere aceptar la dualidad interior, admitir los propios aspectos femeninos, dejar fluir las energías de sensibilidad y de ternura; en definitiva, aceptar el movimiento de la vida; aceptar también abrir las paredes emocionales para permitirse ser más vulnerable y dejar entrar la luz del amor.

5 en la Casa 2

Aquí se produce la mezcla entre la sensibilidad, la receptividad del 2 con la independencia y la búsqueda de aventuras del 5. Se produce un contraste permanente entre una sensibilidad interior y un deseo marcado de lanzarse hacia fuera; es la mezcla del agua y el fuego.

Ambos números, 2 y 5, están en búsqueda de equilibrio. La persona va a vivir su vida afectiva de un modo flexible y sinuoso, con fuerte nerviosismo emocional y movimiento perpetuo. Es necesario encontrar un balance entre la dulzura y las reacciones impulsivas.

La persona debe aprender a vivir sus emociones sin analizarlas o sin cuestionar su comportamiento a este nivel, ya que la tendencia del 5 es a racionalizar todo con su mente poderosa.

Tenemos una mezcla de impaciencia con pasividad, de irritabilidad con indecisión; lo que indica que es necesario aunar estos impulsos de ternura y dulzura con la vivacidad de las reacciones punzantes.

Se vuelve agresiva hacia quien le ofrece ayuda, ya que no sabe ponerse en situación de recibir por miedo de perder su libertad.

Aquí el individuo está siempre en posición de ataque y tiene tendencia a expresar sus deseos de una forma frontal, sin hacer concesiones.

Necesita vivir toda su afectividad de un modo libre y sin ataduras y no logra fácilmente una pareja estable.

Pero no debemos olvidar que el encanto del 5 reside en su sed de aventuras, su apertura, su gusto audaz por los desafíos, su capacidad para aceptar los cambios; en resumidas cuentas, en su espíritu indómito y vital.

Madre: Sus hijos la ven como una madre activa, en continuo movimiento, con tendencias nerviosas acentuadas y carácter masculino.

Una mujer que siempre está buscando nuevos desafíos, con una curiosidad un poco invasora, pero que manifiesta poca ternura y que no presta mucha atención a sus hijos.

Puente: 3

Para canalizar estas dos energías un poco contradictorias, se aconseja lanzarse a todas las actividades de creatividad artística: música, baile, canto, es decir, todas aquéllas que permitan encauzar y dulcificar estos impulsos demasiado móviles.

Dejar que el humor y la alegría iluminen la vida.

6 en Casa 2

La feminidad y la apertura se unen con valores de receptividad, ternura y fecundidad. El potencial de intuición, de calidez y de servicio puede desarrollarse con dulzura y tranquilidad.

Pero también podemos encontrar aquí una cierta pasividad o negligencia a hacerse cargo de su vida afectiva.

El niño puede sentir cierta nostalgia por la vida intrauterina. Hay una búsqueda permanente de bienestar, de tibieza, de dulzura, de ternura; un gran deseo de simbiosis con la madre o la pareja.

Tiene gran dificultad para discriminar los sentimientos del otro y por lo tanto, identificar los suyos propios. Esto trae aparejada una dificultad para protegerse de las emociones exteriores, que pueden ser invasoras y desestabilizantes.

Tiene un gran sentido de la estética y un deseo profundo de decorar con armonía y gusto su hogar; de vibrar al ritmo de los colores y de las formas.

Tiene un modo de vivir muy refinado, con una perfección estética que se ve hasta en los mínimos detalles. Todo lo dicho anteriormente es el resultado de su sensualidad a flor de piel.

Madre: Ve a su madre como responsable, un poco invasora, la "mamá-gallina", totalmente consagrada a su familia, siempre disponible para todos pero con tendencia a sofocar. Esta madre puede manipular a sus hijos por el "sacrificio" que está realizando por el "bienestar de ellos".

Puente: 4

Es una invitación a mantenerse en contacto con la realidad cotidiana y prestar atención a los detalles concretos, a mantener una cierta exigencia en relación al trabajo y al equilibrio interior.

Se aconseja aprender a protegerse de sus propias emociones y de las agresiones externas, es decir, construirse muros protectores.

7 en la Casa 2

Encontramos la convivencia de un 2 sensible, junto a un 7 frío, analítico y exigente.

La persona tiene a su disposición grandes capacidades de introspección, de reflexión personal, puestas al servicio de su bondad o de sus emociones.

Debe aprender a armonizar estas tendencias alternativas marcadas por su repliegue sobre sí misma y su vagabundeo mental con sus deseos de perfección y búsqueda interior. Esto da una mezcla de timidez e introspección, llena de sutilidad y misterio.

Puede dar la impresión de reprimir sus impulsos hacia el otro y de evitar el compromiso afectivo.

Por otra parte, la persona tiene un gran anhelo de consolidar una pareja donde puedan emprender juntos un proyecto de carácter filosófico, religioso o místico.

La tendencia a la duda interior (2), unida a un deseo de perfección en la toma de conciencia (7), aparece con frecuencia en esta combinación, provocando estados de melancolía y de angustia existencial que pueden llevar a depresiones profundas.

El problema principal de esta cohabitación es dejar que el aspecto mental descienda hasta las emociones, es decir que las ideas entren en contacto con el corazón.

Madre: La madre puede ser profesora de filosofía o teología. La visión de sus hijos es de alguien rígido, poco expresivo, encerrado en sus principios de exigencia o perfección interior. Posee un gran potencial de apertura mística, pero le haría bien dejarse llevar un poco más por su corazón.

Puente: 5

Es una invitación de apertura a la libertad, al movimiento, a los cambios; a permitir la circulación y la fluidez de las energías, incluso de las energías sexuales.

8 en la Casa 2

Tenemos la mezcla del 2, que es sensibilidad, receptividad, deseo de asociación, junto con el 8, que representa la eficiencia, la estrategia y el poder organizador.

Por un lado, el 2 dubitativo y sometido, y por el otro, el 8 dominante, con deseos de vencer.

El potencial de paciencia y de intuición se ve enfrentado a una gran fuerza de carácter, a una energía impaciente y poderosa.

Las aguas están en ebullición por efecto de un 8 inquieto sobre un 2 plácido. Por lo tanto, este equilibrio es difícil de lograr.

La persona que tiene esta mezcla debe aprender a discernir entre las relaciones afectivas y las relaciones de competencia.

La tendencia de esta cohabitación es la de dominar al otro y no dejarle a su pareja su propio espacio vital, es decir, manipular todas las emociones a través del poder.

El 8 y el 2 marcan el encuentro de grandes impulsos pasionales, de emociones violentas en una relación de enfrentamientos y de juegos de poder; algunas veces con mecanismos sadomasoquistas donde se alternan los papeles de víctima y verdugo.

Madre: La visión de la madre está teñida de poder; es alguien que pasa más tiempo preocupada por afirmarse social y profesionalmente, que dedicada a cuidar a sus hijos. Es una mujer fuerte, que se impone por su temple interior, su coraje y su lealtad. Pero sus niños deben plegarse en el sentido del viento marcado por esta madre, que no soporta las tergiversaciones o las vacilaciones.

Para un hijo, la madre es una reserva de energía, de potencia, que puede fácilmente desvalorizar a este hijo que intenta existir.

Para una hija, ésta debe esconder su aspecto femenino, sensible que puede ser considerado como una debilidad y debe alinearse con su poderosa madre.

Puente: 6

Un puente que propone dejar surgir la ternura, la armonía, para equilibrar los dos polos. Una invitación a "soltar prenda" y dejar que la sonrisa y el amor ocupen el espacio de la tensión.

9 en la Casa 2

La sensibilidad receptiva y el acoger al otro se vuelven más amplios, más generosos debido a la presencia del 9. Tanto el 2 como el 9 son números de escucha, de intuición del corazón, vividos con sinceridad, idealismo y sencillez.

La persona no se "impone" sino que "quiere" estar disponible y desea servir a una causa justa.

Necesita formar parte de un proyecto de ayuda humanitaria, una misión que procurará llevar adelante con fe y esperanza.

El riesgo aquí es permitir que el mundo imaginario o ideal ocupe demasiado espacio.

La persona puede ser percibida como "soñadora" o demasiado idealista, llegando al extremo de vivir su relación de pareja de un modo totalmente ilusorio.

En efecto, el riesgo del 9 es la dificultad para mantener sus pies en la tierra y no dejar que la imaginación domine su vida.

La bondad y la compasión la llenan y pueden llevarla a que se olvide de valorizarse, de amarse a sí misma. Posee un sentido del sacrificio tan elevado que le impide aceptarse en su Ser profundo.

Madre: La visión es la de una madre volcada hacia el mundo, sensible a toda miseria humana. Es muy idealista y vive en la tolerancia y la compasión por los demás.

Para un hijo, que desea desarrollar un amor universal, que quiere llenarse de grandes ideales, con este tipo de madre corre el riesgo de vivirlos únicamente en su cabeza.

Para una hija, muy sensible, que idealiza la relación con su madre y que desea imitarla en su actitud de brindarse a los demás, puede implicar el riesgo de caer en un gesto a veces excesivo.

Puente: 7

Una invitación a dejar espacio a la reflexión interior, para vivir sus emociones de una forma más controlada y más equilibrada, con el objetivo de evitar los sueños demasiado utópicos.

La Casa 3

Describe:

* La forma de relacionarnos con los demás (hermanos, amigos, sociedad).
* El poder de creatividad y de expresión personal.
* La valorización de nuestra propia imagen.
* El saber disfrutar de lo cotidiano, con alegría, con optimismo.
* Nuestro niño interior.

0 en la Casa 3

Aparentemente la Casa de la sociabilidad, de la comunicación y de la creatividad está vacía, pero sabemos que esto es remediable ya que, si somos conscientes de este vacío, lo podremos llenar más fácilmente.

Si el 3 aparece poco en los puntos fuertes del Tema: Camino de Vida, Alma, Personalidad, Misión, significa que ya lo trabajamos en las vidas anteriores y que no será difícil de solucionar.

Si, en cambio, el 3 está presente en lugares tales como otras Casas de la Inclusión o Áreas Claves, debemos ayudar a liberar el potencial de este 3 en los lugares donde se encuentra.

Cuando viene a la vida, esta persona tiene una timidez que le impide relacionarse con los demás, y tiene también tendencia a relegarse a un segundo plano ya que al no tener una imagen clara de sí misma, no sabe valorizarse ni acepta ser valorizada por los demás.

En este caso también debemos considerar cómo esta persona fue recibida por sus padres; es decir, ver si fue aceptada o no desde el principio. Hay que ver cómo funciona la pareja padre-madre, y si esta pareja ayudó o no al niño a tener confianza en sí mismo.

No debemos olvidar que el 3 necesita de manera imperiosa ser amado porque ésta es la única forma en la que se siente reconocido y valorado.

Otro aspecto a analizar también, es la relación con sus hermanos que es la primera célula social que encuentra en la vida. Si los contactos son buenos durante la infancia, puede llenar rápidamente de luz este vacío aparente. Si por el contrario, las relaciones son difíciles, va a tener dificultad para tener confianza en sí mismo.

Otra dificultad, en este caso, es no tener confianza en sus dones creativos que le podrían permitir liberarse de muchas inhibiciones que vienen de vidas anteriores.

Un consejo bien sencillo que se puede sugerir: recuperar la alegría, saber disfrutar de lo simple en lo cotidiano, apreciar la belleza de la naturaleza, de la amistad y de la vida; en otras palabras, descubrir su niño interior.

Consejo a los padres

Estimular siempre a este niño para que pueda dejar aflorar su parte creativa. No bloquear sus deseos de hacer de la vida una fiesta y no reprimir su espontaneidad. Aceptar enfrentar vuestro "niño" interior con el suyo.

1 en la Casa 3

La creatividad, la socialización se vive con la vibración del 1 que habla de dinamismo, de rapidez, de independencia, de inventiva y determinación.

Aquí los dos componentes Yang –el 1 y el 3– se dan la mano. Sus impulsos creativos activos e innovadores van en el mismo sentido, marcando un camino de creatividad autónomo y bien definido.

La persona pone su inteligencia al servicio del arte. La afirmación de su identidad pasa por la realización artística a todos los niveles (música, pintura, escritura, baile, teatro, etc.). Quiere ser admirada, aprobada y amada por los demás. Necesita ser reconocida como la mejor.

Su modo de funcionar es individualista y audaz en este camino de creatividad, pero a la vez abre nuevas rutas porque es un pionero. Sin embargo, escucha poco y le cuesta reconocer los dones de los demás.

Otro aspecto de esta combinación es la selectividad que utiliza con sus amistades; es él quien pone las reglas del juego sin dejarse manejar.

Niño: Necesita ser reconocido sobre todo por su padre y por esta razón va a elegir probablemente un camino de creatividad original para atraer la atención de éste.

La relación con los hermanos se establece de un modo responsable y tal vez como el líder (debemos ver si no es el mayor de la familia).

Puente: 2

Es una invitación a saber recibir los consejos de los demás y abrirse a contactos más íntimos, dejando fluir las emociones, las alegrías y las tristezas.

Finalmente, se está proponiendo tener en cuenta la importancia de reconocer "al otro" para que a su vez éste lo reconozca.

2 en la Casa 3

El potencial de expresión, de creatividad y de comunicación se vive con dualidad y muy dependiente de las emociones del momento.

La persona necesita ser valorizada a través de la aprobación y la confianza del otro.

Tiene una sensibilidad muy fina que puede expresar a través de su creatividad, pero necesita un ambiente de seguridad para hacerla surgir y poder desarrollarla.

Vive sus relaciones con los otros con sinceridad, con una apertura a veces un poco ingenua, con mucho ensueño y romanticismo.

Por otra parte, la persona intenta definir su propia imagen con verdad y ternura, y para relacionarse con el otro debe contar con una gran bondad y una fuerte seguridad afectiva.

La persona debe encontrar un equilibrio entre el deseo de crear con la ayuda del otro y las ganas de ser reconocida individualmente por sus propias creaciones. Debe lograr su propio modo de expresión, más que moldearse con el otro por falta de seguridad en sí misma.

Posee una gran sensibilidad y una afinada intuición en su modo de contactarse con los demás, pero a la vez es vulnerable porque no sabe protegerse.

Niño: El niño es muy intuitivo, soñador, sensible a las presencias femeninas, muy suave en sus relaciones con los otros. Este niño sufre al no saber defenderse de las agresiones de su entorno social (hermanos, compañeros de escuela), ya que absorbe todo como una "esponja" debido a su inmensa ternura y bondad. A la vez puede tener una relación muy linda de ternura y cariño con sus hermanos cuando la vida en familia es armoniosa. (Observar si es o no el segundo hijo de la familia.)

Puente: 1

Es una invitación a desarrollar su propia dimensión, su identidad y sus propósitos en la vida. La sensibilidad debe estar orientada hacia la acción concreta o hacia proyectos bien definidos, lo que implica el esfuerzo de reafirmar sus propios talentos creativos.

3 en la Casa 3

El 3 vive en su casa y estamos en presencia de un *doublet*. Normalmente el potencial del 3 puede ser liberado y vivido plenamente; pero hay casos donde esta combinación doble esconde muchos miedos e incertidumbres en cuanto al desarrollo de la creatividad, llegando a veces a ser similar a un 0 en esta Casa.

La persona tiene un don de comunicación con los otros: fluido, abierto, caluroso. Sabe expresarse a través de su voz y sus palabras. Le gusta ser apreciada, reconocida y amada por los demás.

Tiene una hipersensibilidad con respecto a su imagen exterior y le preocupa mucho ser aprobada y amada por todos, pero fundamentalmente por su propia familia.

Le gusta estar a la última moda y puede volverse por eso un poco superficial.

Tiene necesidad de estar con sus amigos, su grupo, para sentirse feliz. Puede destacarse por su alegría, su originalidad, su sentido de la fiesta y del humor.

Tiene dones de creatividad en todos los campos: escritura, música, artes plásticas, danza.

Le gusta vivir y disfrutar de todo, incluso de la buena comida.

Es un seductor irresistible que tiene el arte de desplegar todos sus encantos, sus fuegos de artificio para hechizar, para conquistar y así ser amado y reconocido.

Niño: El anhelo más profundo de este niño es ser reconocido por sus padres y su familia y para lograrlo, hace todo para atraer su atención y llega a ser un poco "payaso". Necesita expresar su ternura y su calor a través de las palabras y a través de los contactos físicos ya que necesita complacer a todos.

Puente:
No hay, pero se puede aconsejar sobre todo a los padres hacer todo para dejar que el hijo exprese su potencial 3, que es la creatividad artística, la expresión, la comunicación, evitando al mismo tiempo que caiga en sus excesos, a saber: superficialidad, preocupación excesiva por las apariencias, frivolidad.

4 en la Casa 3

Encontramos aquí la mezcla de la comunicación, de la alegría, de la animación del 3 con el trabajo, la disciplina y la seriedad del 4.

Todo el potencial de creatividad original, de humor, de alegría de vivir se va a expresar con dificultad o bajo reglas y límites bien definidos.

La persona va a buscar un marco de trabajo adecuado para expresar sus dones de creatividad.

Se va a proteger también detrás de muros establecidos probablemente en la primera infancia, durante la cual sufrió inconsciente o conscientemente de relaciones dificultosas entre sus padres y para defenderse se construye sus paredes protectoras.

Existe casi siempre un conflicto soterrado entre el padre y la madre, como si uno de los dos castrase al otro en su modo de expresión sensible y en el desarrollo de sus impulsos creativos.

Con este modelo familiar —donde uno de los cónyuges anuló al otro— el niño, y más tarde el adulto, va a crecer con trabas para abrirse espontáneamente, por miedo a ser él mismo víctima. Entonces, se queda con sus miedos, sus angustias o sus emociones incomprendidas, lo que lo aleja de los otros.

Si encontramos este caso, el consejo es no bloquear los impulsos profundos de comunicación; no quedarse con la carencia aparente de dones creativos, porque siempre hay un potencial de creatividad en todas las personas y lo importante es encontrar la llave para dejarlo salir.

Sería conveniente evitar basar su seguridad únicamente en el "hacer" y tratar de vivir también a nivel del "ser".

Sería aconsejable liberarnos de "las gafas" un poco cuadradas que nos impiden reconocer la sensibilidad y la bondad de los demás; es decir, evitar proyectar nuestros propios miedos en los otros.

Niño: El niño interior es un niño que se encierra detrás de sus protecciones, empezando por los contactos con su propia familia. La relación con los hermanos es probablemente difícil y fuente de sufrimiento y de conflictos, viviendo siempre a la defensiva para protegerse.

Puente: 1

Es una invitación a ponerse en marcha, confiando en sí mismo, sin miedo a lanzarse hacia lo desconocido para romper y abrir esos muros de seguridad, dejando surgir su propio torrente creativo.

5 en la Casa 3

La expresión de sí mismo, de la creatividad y de las relaciones humanas se caracterizan por un gran dinamismo, una efervescencia de impulsos móviles, un gran deseo de libertad personal, lleno de desafíos y experiencias nuevas.

Hay una gran necesidad de movimiento y de aire en este espacio de extroversión original y de comunicación múltiple, donde la libertad es esencial.

En la unión de estos dos números Yang 3 y 5 que no dejan de moverse, de hacerse ver, o de hacer hablar de sí, la persona necesita estar bajo los proyectores y cultiva mucho su imagen personal.

Posee dones de adaptación puestos al servicio de una curiosidad anticonformista, dispuesta a todo. Le gusta utilizar su encanto magnético y personal. Es el hombre de los "medios" (periodista, actor, reportero, etcétera).

Posee talentos creativos abundantes, que maneja con una mente poderosa y analítica; y a la vez tiene una gran capacidad de apertura social que le posibilita contactos con todo tipo de gente, sin límites de países o culturas. (¡Es el hombre de "Internet"!)

Niño: No puede quedarse quieto. Vivaracho, nervioso, se mueve tanto física como mentalmente. Pasa su tiempo planteando preguntas perturbadoras, imaginando cosas nuevas para lograr el reconocimiento.

Puede ser rebelde y aceptar difícilmente la disciplina. Sus contactos con sus hermanos son probablemente explosivos, con una gran necesidad de libertad y de independencia.

Puente: 2

Es una invitación a escuchar su mundo interior, sus emociones profundas, para dar más espacio al calor humano y a la riqueza de los contactos.

Es también una invitación a disminuir el ritmo de la vida, para encontrar su propio equilibrio.

6 en la Casa 3

El potencial del 3 está multiplicado por dos: creatividad, sentido artístico, necesidad de intercambios cálidos y refinados.

Esta combinación del 3 y del 6 hace que el contacto con los demás sea sensible, cálido, con un idealismo y una bondad sin límites.

La persona siente un amor espontáneo que expresa a través de gestos tiernos y calurosos para con todos. Es de una gran generosidad y está animada de un deseo de dar lo mejor de sí misma.

Posee dones artísticos sólidos, una gran sensibilidad a los colores y estas capacidades (música, pintura, literatura, expresión corporal) se pueden manifestar más fácilmente si vive en condiciones familiares estables y armoniosas.

Siempre va a intentar expresarse a través de su cuerpo: baile, masaje creativo, o los gestos simbólicos.

La persona necesita vivir con armonía y posee a la vez un espíritu refinado y sutil.

Se deja llevar por el amor a la belleza, por el Amor, que necesita demostrar a través de actitudes cariñosas y tiernas. Esta persona sabe gozar de la belleza de la vida cotidiana: un ambiente armonioso, una buena comida, una naturaleza generosa.

Pero debido a su bondad natural y su inmensa generosidad no está preparada para defenderse y como es incapaz de poner límites en el dar, se vuelve muy vulnerable y puede llegar hasta el sacrificio o la abnegación.

Niño: Le gustan las golosinas, las cosas ricas y dulces. Es muy afectuoso, cariñoso, posesivo y cálido, muy ligado a su madre, con quien desea quedarse en una relación simbiótica y protectora.

Necesita amar y ser amado. Su relación con sus hermanos se realiza a través del afecto y de la ternura.

Puente: 3

Es una invitación a organizar su vida para manifestar sus dones de creatividad que son reales, los cuales representan un potencial importante para lograr su propio equilibrio.

Todo esto, poniendo atención de no caer en las trampas del 3: superficialidad, inestabilidad de humor según las circunstancias, susceptibilidad.

7 en la Casa 3

Tenemos aquí dos tendencias opuestas: el 3 exterior con el 7 interior; ¿de qué forma, entonces, va a surgir su potencial de creatividad y comunicación?

Toda la veta artística se va a manifestar a través del análisis, de la razón, por medio de un pensamiento disciplinado y perfeccionista.

El 7 puede también frenar todas las tendencias extrovertidas, festivas, la capacidad de disfrutar, de gozar de lo bueno sin analizarlo.

En lo que se refiere a la apariencia, al aspecto exterior, éste va a estar controlado por un deseo de depuración y sobriedad.

La persona con esta combinación escoge sus amigos selectivamente, de acuerdo con ciertos criterios de elegancia, refinamiento y cultura. En realidad, tiene pocos amigos, pero los pocos que tiene están a la altura de su nivel mental y espiritual.

En lo que se refiere a los vínculos con los demás, esta persona debe encontrar un equilibrio entre la expresión natural y espontánea y una cierta desconfianza que la lleva al aislamiento, el cual, por otra parte, le proporciona una sensación de seguridad.

Niño: Es maduro, serio, se aísla de los otros niños y se siente más cómodo entre adultos. Este niño tiene una mente inquieta que desea llenar de conocimientos, y prefiere los libros a la fiesta.

Se hace reconocer por sus estudios, sus éxitos intelectuales, encontrando así su afirmación en su conocimiento.

La relación con sus hermanos no es fácil, porque prefiere refugiarse en su "torre de marfil" con sus libros, que compartir los juegos o la vida familiar.

Puente: 4

Es una invitación a encontrar un camino de expresión creativa que le permita "aterrizar" sus proyectos, concretándolos y llevándolos a término con constancia y paciencia.

8 en la Casa 3

La expresión y la creatividad se ven apoyadas aquí por el 8, que aporta el poder y la audacia. Hay grandes deseos de realización personal y de estatus social importante.

Un juicio exacto unido a una facultad de comprensión firme y clara se amalgaman con un espíritu refinado y culto.

La persona será muy exigente con su propia creatividad y la de los demás.

Será reconocida por su eficiencia, la maestría de sus talentos creativos y por su potencia.

Normalmente ocupará puestos importantes en el área de las relaciones públicas y de los medios de comunicación, teniendo siempre un toque de elegancia y brillo. Puede ser, por ejemplo, un director de prensa, productor de TV, de cine, de teatro y espectáculos en general, director de publicidad, etcétera.

Apasionado e impetuoso, quiere siempre tener la razón y ganar todas las batallas; sobre todo, a nivel de la comunicación será él quien diga la última palabra.

Necesita brillar y ser respetado por sus habilidades como organizador y realizador.

Niño: Fuerte personalidad que puede dominar a hermanos y hermanas. Logra la aprobación de los demás por su valentía y audacia. No tiene miedo de vivir experiencias desafiantes y de lanzarse a la vida.

Puente: 5

Es una invitación a mantener su libertad, su creatividad y la afirmación de sus talentos a través de los desafíos y de los riesgos.

Invitación también a utilizar sus talentos con un cierto rigor, es decir, una cierta disciplina y no tener miedo de interrogarse sobre el manejo de los mismos.

El 5, algunas veces, nos sugiere revisar lo construido y recomenzar para optimizar.

9 en la Casa 3

El mundo de la expresión, el sentido de las relaciones humanas y de la sensibilidad artística son manejados por un espíritu humanista y culto, capaz de ampliar el horizonte de las cosas y de abrirse a los espacios mayores.

La creatividad se nutre del flujo de las emociones interiores y del potencial de una imaginación generosa.

Hay una gran necesidad de comunicarse con la tierra entera, más allá de las fronteras, los límites culturales o los prejuicios raciales.

Esta persona siente una gran necesidad de trabajar en un proyecto colectivo, con un ideal puesto al servicio de todos. Para ella, todo cobra una visión humanista teñida de esperanza en un mundo mejor.

Sus talentos están puestos al servicio de los demás y puede ayudar mucho gracias a su visión holística, su aguda intuición y su apertura espiritual.

Sin embargo, es aconsejable no lanzarse a proyectos exaltados o demasiado idealistas, que pueden ser la trampa del 9, el cual tiende a "volar como un globo aerostático" y a escapar de la realidad.

Niño: Soñador, idealista; su inocencia y su entusiasmo lo pueden ayudar a expresar sus dones de creatividad. Tiene una madurez precoz debido a su ideal de servicio universal.

Se relaciona con sus hermanos a través del amor, pero necesita vivir su independencia y su vida interior.

Puente: 6

Este puente sugiere bajar a nivel más cotidiano del amor y de la ternura, de la responsabilidad con los demás y con nuestro entorno real, para evitar las tendencias demasiado exaltadas o los espejismos de una creatividad demasiado soñadora o idealista.

La amplitud del espíritu va acompañada por la grandeza del corazón, la cual a su vez se ve favorecida por la apertura corporal, ya que el cuerpo es considerando en su belleza sagrada, en su manifestación de sinceridad y de verdad.

La Casa 4

Describe:

- El modo de vivir el mundo material, los hechos reales.
- Los marcos de la vida cotidiana: el trabajo, el hábitat, el cuerpo físico.
- Las raíces, las bases personales (la historia familiar, la tradición).
- El compromiso y la responsabilidad en el cumplimiento concreto.

0 en la Casa 4

Indica una falta de raíces al venir a este mundo. La persona tiene dificultad para enraizarse físicamente en la Tierra, vive en un universo de sueños y de imaginación, lo que hace que todo lo referente a la organización y a lo cotidiano le pese mucho.

Es frecuente que estas personas hayan tenido problemas de salud graves, con riesgo de muerte durante la primera infancia, por esta dificultad de enraizarse en la tierra. Estos problemas de salud afectan generalmente la estructura ósea.

Viven con la angustia de no lograr su estabilidad material, de no tener dinero, de no tener casa, de no tener familia, hasta que logran superar este problema.

Son personas que efectivamente durante su vida atraviesan situaciones inconfortables, de mucha inseguridad durante la infancia o la adolescencia, por ejemplo, mudanzas, problemas de familia o de dinero.

Debemos mirar si encontramos otros 4 en el Tema o en la Inclusión. Si hay pocos, significa que la solución de este problema está próxima, ya que fue trabajado en vidas anteriores; de lo contrario, si están presentes en lugares importantes como el Alma, la Personalidad u otras Casas de la Inclusión, significa que debemos trabajar especialmente estos aspectos.

No debemos olvidar que todo problema kármico se puede resolver con una toma de conciencia y en este caso del 0 en la Casa 4, la mejor terapia es encontrar un trabajo que le proporcione seguridad material y mental.

Puente

No hay, pero podemos dar algunos consejos:

- Saber organizar su vida con una cierta disciplina.
- Encontrar sus raíces en la tierra a través del contacto físico con la naturaleza, sobre todo en el contacto con los árboles: abrazarlos, tocarlos, apoyar la espalda en ellos, para sentir que su energía pasa a través de su cuerpo y así ayudarlo a enraizarse.
- Realizar ejercicio físico con los pies descalzos en contacto directo con la tierra para sentir su energía.
- Reconocer y buscar su lugar en la genealogía familiar para sentirse parte integrante de esta historia.
- Finalmente, evitar caer en los excesos de la Nada y del Todo que puede llevar a involucrarse demasiado en la seguridad material y volverse materialista.

1 en la Casa 4

La persona encuentra su equilibrio a través del trabajo, que sabe organizar y manejar muy bien sola.

Quiere ser reconocida en su mundo a través de su profesión; es su preocupación existencial.

Sabe tomar decisiones y enfrentar los desafíos sin miedo. Es muy responsable, puntual y precisa.

Es independiente y lo ideal es que encuentre un trabajo o una profesión donde no tenga que rendir cuentas a nadie para evitar los conflictos con la jerarquía, que difícilmente soporta.

Encontramos aquí la cohabitación del 1 y 4, ambos rígidos y exigentes.

Las construcciones o realizaciones personales son elaboradas de un modo impulsivo, con ardor y voluntad.

La persona busca ser la mejor en su trabajo y quiere ser reconocida a través de eso.

Se aconseja desarrollar más la flexibilidad y el tacto en sus relaciones profesionales, aprender a tomar en cuenta la opinión del otro y, a su vez, acostumbrarse a comunicar sus ideas y proyectos.

En la historia familiar, ocupa un lugar especial, pues se siente como el responsable, el custodio de la tradición o de la transmisión del patrimonio.

Puente: 3

Es una invitación a desarrollar la comunicación, el sentido del humor, la imaginación, la gentileza para suavizar este cuadro demasiado rígido, para ponerle un poco de alegría y de gusto por la vida.

2 en la Casa 4

El trabajo o las obligaciones se encaran de forma vacilante, dubitativa, con tendencias duales.

La persona con esta combinación tiene dificultad para encontrar su camino profesional, y puede realizar dos actividades al mismo tiempo o tener dos casas donde vivir en forma paralela.

La persona es muy sensible, receptiva, abierta a los consejos y le gusta la perspectiva de asociarse porque necesita el apoyo y la aprobación del otro.

Puede tener una energía física cíclica con altas y bajas por su hipersensibilidad a las condiciones atmosféricas, que la pueden afectar mucho a nivel corporal.

Por otra parte, al ser muy reactiva al ambiente, hace que, si no encuentra aceptación por parte de los otros, se pueda encerrar y dudar de sí misma. Por lo tanto, necesita un clima armonioso y pacífico para desarrollar sus talentos.

Debe aprender a balancear las emociones del 2 y las exigencias del 4 y saber conciliar lo útil con lo agradable.

Desarrolla su trabajo con mucha intuición, sensibilidad, escucha y diplomacia. Es la asistente perfecta, discreta y a la vez ejecutiva.

Tiene también el don de moldearse para pasar desapercibida, y al mismo tiempo organiza su vida cotidiana con una gran sensibilidad y fineza.

Su rol en la historia de familia es generalmente esfumado, tímido. Puede tener la idea de que no cuenta en la historia familiar y que ocupa un segundo plano.

Puente: 2

Es una invitación a equilibrar las emociones y a adquirir una cierta disciplina para no caer en los excesos del 2 que son: la falta de confianza, la duda de sí, o la pasividad, que le pueden impedir encontrar su estabilidad familiar y material.

3 en la Casa 4

Se produce aquí una mezcla entre la creatividad, la comunicación y la alegría del 3, unidas a la rigidez, la severidad y la disciplina del 4.

Esto indica que el desarrollo profesional se lleva a cabo a través de la comunicación, de la expresión verbal.

La persona tiene un fuerte sentido del comercio, de los intercambios, de las relaciones humanas, las cuales se viven con entusiasmo, creatividad y sociabilidad.

Debe encontrar una profesión donde pueda canalizar sus dones de comunicación o de expresión artística, que puede incluir desde la publicidad hasta la psicología o la enseñanza.

Su creatividad tiene a su disposición una plataforma sólida y bien estructurada que le va a permitir realizar obras de calidad y lograr éxitos gratificantes.

Le gusta trabajar con cierta calidad de vida y un talante festivo.

Su rol en la historia familiar es el de ayudar al contacto y la comunicación entre todos y probablemente es el animador de las fiestas o reuniones familiares.

Puente: 1

Es una invitación a no tener miedo de tomar iniciativas y a seguir sus impulsos dinámicos.

Indica también la necesidad de encontrar su seguridad personal y de afirmarse a través de actitudes eficientes y reconocidas por los demás.

4 en la Casa 4

Estamos aquí en presencia de un *doublet*, es decir, que el 4 está en su Casa.

Eficacia, responsabilidad, organización y seriedad son los aspectos más destacados.

La conciencia profesional, la regularidad, la meticulosidad y la seguridad van acompañadas por la rutina y la resistencia al cambio.

A su vez, la prudencia, el temple de carácter, la perseverancia, lo hacen avanzar paso a paso, construyendo su camino "ladrillo a ladrillo" sin permitirse descansar.

El riesgo de esta combinación consiste en verse limitado por "muros" demasiado protectores, por temor a aceptar nuevos desafíos o a correr riesgos.

Si este 4 está muy presente en el Tema puede provocar excesos de exigencia, de autocastigo o de masoquismo.

Puede también esconder miedos relacionados con el contexto familiar durante la infancia. En este período el niño puede haberse visto aislado, limitado por un marco rígido, sin otra posibilidad que la de consolidar sus "muros protectores", bloqueando así sus aptitudes de creatividad y sensibilidad.

Este potencial doble del 4 trae aparejada también la idea del trabajo productivo que transforma la Tierra, y no debemos olvidar que en el Árbol de la Vida se lo relaciona con *Hesed*, la Abundancia. Por algo son los mejores agricultores.

Necesitan más que todo una gran seguridad material y el no conseguirla puede generarles angustias o desequilibrios psicológicos.

Su lugar en la historia de la familia se podría comparar al ancla y al guardián de la historia familiar en cuanto a fiel conservador, a transmitir su contenido con exactitud.

La persona con esta combinación puede también absorber a nivel físico todo el peso genético (problemas alérgicos, hormonales, diabetes, problemas cardíacos, etcétera).

Se siente muy responsable en lo que concierne a la transmisión del patrimonio, ya sea en cuanto a las tradiciones o a los bienes materiales. Necesita encontrar sus raíces.

Puente:

No hay, pero sí una invitación a la apertura, la exteriorización fluida, a trabajar con las emociones, a lograr un manejo espontáneo del cuerpo para suavizarlo. También es una invitación a mirar el paisaje que se extiende más allá de esas paredes de protección. Sugiere más tolerancia, más apertura, más alegría y mayor disfrute de la belleza de la creación, por su estrecha relación con la Tierra.

5 en la Casa 4

Tenemos aquí el encuentro del 5: impulsivo, libre, movedizo, con el 4: organizado, trabajador y estable. Todo el aspecto profesional se tiñe de impulsos, de audacia, de independencia, de la necesidad incesante de aceptar nuevos riesgos, nuevos desafíos.

Esta búsqueda en todos los campos, en todos los terrenos, puede provocar una inestabilidad, una agitación y una impaciencia difíciles de manejar.

La persona busca la aventura, se saltea las reglas y huye del trabajo rutinario; necesita aire, espacio, luz, movimiento, cambios.

Debe dejar su casa, su pueblo, su país para descubrir otros horizontes, otros paisajes. Se interesa por todo y niega su propio agotamiento por cansancio excesivo, lo que le provoca irritabilidad y tensión.

Puede ser representante, investigador, profesor de gimnasia, de salto en paracaídas, etc. O sea, todas aquellas profesiones en donde puede desarrollar su gusto por los riesgos o los desafíos.

Se puede aconsejar un poco más de paciencia, de prudencia, de moderación para administrar de un modo más equilibrado sus energías físicas, a través de disciplinas como yoga, tai-chi, etc., que la pueden ayudar a centrarse.

Su lugar en su historia de familia no le parece de gran importancia, ya que necesita abrirse a otros países, a otras culturas, al mundo.

Es, probablemente, el aventurero de la familia, que huye del clan familiar.

Puente: 1

Es una invitación a desarrollar su sentido de iniciativa para dinamizar a los demás; también para ser reconocido, valorizado por sus emprendimientos originales o sus proyectos novedosos.

6 en la Casa 4

La Casa 4 está ocupada por el 6 sentimental, siempre en búsqueda de dulzura y armonía. La ejecución práctica del trabajo se lleva a cabo con idealismo, confort y sensualidad.

El 4 y el 6 se pueden complementar: la persona puede utilizar su 4, que es disciplina, organización y responsabilidad con la elegancia, el refinamiento y el deseo de ser agradable del 6.

Con esta combinación, posee un sentido innato de la belleza, de la intuición, del gesto exacto; puede expresar a través de sus manos todas las formas de ternura.

Estará feliz en profesiones como la danza (armonía del cuerpo), la estética (masajista, elaborador o vendedor de productos de belleza) y las relacionadas con la salud, sobre todo en el área del cuidado del cuerpo (puericultura, enfermería, fisioterapia).

Su trabajo brota de su corazón y necesita calidez para ser eficaz. Debe poder balancear los imperativos de realización concreta, las exigencias en cuanto al método y al esfuerzo, junto con la ternura, el relax, el sentido estético y la armonía profunda.

Tiene también una creatividad enriquecida por el sentido del color y de la armonía del ambiente, lo que le permitirá destacarse en profesiones como: decoradora, pintora, arquitecta, estilista, etcétera.

El lugar en su historia familiar lo vive a través de la ternura, de la sensibilidad, del amor y de la responsabilidad afectiva.

Puente: 2

Es una invitación a abrirle el campo al 2, para permitirle así aportar su don de conciliación y su saber recibir. Se puede también recomendar un trabajo sobre las emociones, tomar contacto con la intuición profunda y con su equilibrio interior.

7 en la Casa 4

La Casa 4 del trabajo y la organización está ocupada por el 7 que es introspección, búsqueda interior y desarrollo mental.

Ambos números tienen un grafismo rígido, lleno de líneas y ángulos que revelan el apego a normas, leyes, a lo conciso y a lo abstracto.

El potencial aquí se caracteriza por el deseo de poseer bases materiales acompañadas de conocimientos intelectuales y espirituales. "La meditación está al servicio de lo material".

Los aspectos comunes entre ambos son: la búsqueda de la estabilidad en el seno de una estructura sólida.

La necesidad de perfección lleva generalmente a la persona a elaborar un programa propio, ya que sus normas están por encima del común denominador.

Todas estas búsquedas de estabilidad y perfeccionismo, presentes en forma excesiva, se traducen en rigidez, dureza, aislamiento y hasta tal vez, miedo y ansiedad.

La persona puede llegar a dudar de sí misma por un exceso de exigencia.

En esta convivencia del 7 con el 4 podemos encontrar bloqueos psicológicos o autolimitaciones por el tipo de educación demasiado dogmática que provoca miedos a emprender nuevos desafíos o lanzarse a lo desconocido.

La persona puede ser muy reservada e introvertida con respecto a su trabajo o a sus motivaciones profundas.

Encontramos también una mezcla de gran exigencia, de voluntarismo con una tendencia al ascetismo excesivo y hasta al autocastigo.

La persona normalmente es muy responsable y seria en el manejo de su trabajo, obsesionado con la idea de ser perfecto.

Debe conciliar el peso de lo concreto, de la organización, con el ideal intelectual, la reflexión abstracta y espiritual.

Como actividades, puede desarrollar aquellas que le permitan utilizar sus dones de análisis, de "análisis interior", la transmisión de una toma de conciencia.

Puede ser un escritor, manejar grupos de meditación, enseñar, elaborar programas informáticos; todas aquellas profesiones que requieran precisión, concisión y fuertes referencias intelectuales.

Su lugar en la familia lo encuentra a través de la reflexión, de la investigación relativa a sus raíces culturales o espirituales. Puede ser el representante de la ética familiar y frecuentemente es quien se preocupa por armar su árbol genealógico.

Puente: 3

El 3 ofrece la oportunidad de matizar los aspectos demasiado rígidos y exigentes del 7 para dejar espacio a la creatividad, a la comunicación, al calor humano y sobre todo al humor cotidiano, en las pequeñas alegrías diarias. Puede aportar también colores más vivos, mayor optimismo y más luz al camino de evolución de la persona.

8 en la Casa 4

La Casa 4 se encuentra ocupada por un Habitante enérgico, lanzado, audaz, que es el 8.

El deseo del trabajo bien hecho está complementado por una gran voluntad de realización de proyectos ambiciosos, sostenidos a su vez por un coraje y una estrategia a toda prueba.

El deseo de control, de orden y de disciplina se lleva a cabo sin sentimentalismos, con potencia y combatividad.

La persona funciona con una energía impresionante y el deseo de cumplir rápidamente sus objetivos.

El trabajo es su pasión y su trampolín para valorizarse a nivel personal o para obtener un estatus social importante.

Necesita honores, riqueza y reconocimiento, pero si no sabe manejar estas energías puede caer en una sed de poder que la lleva a olvidar su corazón y sus emociones. Puede volverse intolerante y se puede aislar de la gente que quiere.

Esto la lleva a desarrollar también una angustia y un estrés interior que le provoca complicaciones físicas (úlceras, infartos, etc.) ya que, como sabemos –lo vimos en el grafismo del 8–, toda su debilidad se sitúa en su plexo solar.

El sector profesional donde se desempeñe puede tener que ver con las finanzas, las grandes industrias, la arquitectura, la estrategia política y económica.

El lugar en la familia se afirma a través de la potencia material con una preocupación especial para la conservación del patrimonio físico, pero a la vez puede ser el proveedor material dando seguridad a los otros, como una manifestación de su poder.

Puente: 4

Es una invitación a lograr un equilibrio interior entre la fuerte energía del 8 y el paso más lento del 4. La progresión debe ser más lenta, más enraizada para producir frutos abundantes, sin caer en excesos de materialismo.

9 en la Casa 4

La Casa del trabajo y las consideraciones materiales está ocupada por el 9, abierto a los horizontes amplios, a los grandes impulsos sensibles y altruistas.

La persona desea trabajar en un ámbito no limitado, con componentes sociales y universales, dejando espacio a una creatividad futurista y de vanguardia.

Busca entablar relaciones con otros países, con miras a emprender acciones colectivas.

Debe encontrar el equilibrio entre los impulsos emocionales que son producto de su imaginación y la necesidad de estabilización.

Debe adaptar sus grandes ideales a terrenos más restringidos y más organizados.

Su fuerte creatividad mental se debe disciplinar para ponerse al servicio de objetivos más concretos, sin olvidar que es una combinación de servicio que puede ayudar a la evolución de la humanidad.

Como profesiones se aconsejan todas las acciones sociales, los proyectos humanitarios, el despertar de la conciencia universal.

La relación con la familia se hace a través de la bondad, del ideal, del compartir valores humanistas adquiridos en la historia familiar.

Puente: 5

Es una invitación al movimiento, a los viajes, a la independencia rebelde. Hay una necesidad de tomar aire, de aceptar riesgos y afrontar nuevos desafíos. La movilidad y la capacidad de adaptación pueden ayudar a evitar las dudas o las ideas preconcebidas y abrirse así a la riqueza de los impulsos universales.

La Casa 5

Describe:

* La facilidad de adaptación al cambio.
* La capacidad de análisis y de búsqueda mental.
* La forma de vivir la libertad.
* La circulación energética del cuerpo y la sexualidad.
* La parte masculina (Yang) y la imagen en la pareja.

0 en la Casa 5

La Casa parece vacía y esto puede revelar trabas físicas o psicológicas, así como dificultades para manejar su libertad.

A primera vista, la persona tiene miedo de los cambios en su vida, no desea aceptar nuevos desafíos; vive las cosas tal como las conoce, sin atreverse a modificaciones o alteraciones.

Se mantiene cristalizada en sus esquemas, en sus concepciones, no necesita "cambiar de aire"; prefiere refugiarse en la estabilidad segura, dentro las tradiciones establecidas.

Pero cuando esta persona comienza a tomar conciencia de sus miedos y de sus condicionamientos, a través de la reflexión y el análisis, puede despertar en ella un gran deseo de libertad, difícilmente controlable. Es como encontrar la llave que le va a abrir las puertas de la vida y del mundo.

Es necesario vivir estos momentos con prudencia, vigilando para evitar los excesos del 5, tan inestable y arriesgado que puede llegar fácilmente a la imprudencia.

Puente:

No hay, pero es importante insistir sobre el aspecto de equilibrio interior, que se puede lograr a través de la disciplina o de la meditación.

Conviene fijarse metas o propósitos claros para evitar la dispersión, y también hacer un trabajo corporal que permita hacer circular las energías.

1 en la Casa 5

En esta combinación, estamos en presencia de dos números con una energía Yang muy afirmada. Los cambios y la libertad se viven aquí con independencia e inventiva.

El análisis y la búsqueda mental son rápidos y llenos de energía. La persona toma riesgos a nivel personal para ser valorizada y reconocida, por sus experiencias mentales o físicas.

Sin embargo, puede carecer de continuidad, ya que el 5 es intempestivo y poco constante.

Puede empezar, por ejemplo, dos o tres proyectos a la vez y no lograr esperar los resultados por falta de paciencia y por el deseo imperioso de lanzarse a otros emprendimientos.

También puede ser terco y no aceptar que los otros lo manejen, debido a su espíritu rebelde y libertario.

Es una "caja de sorpresas" a todo nivel, desconcertando siempre por lo inesperado de sus giros o movimientos.

En lo que respecta a la sexualidad, puede vivirla también con impulsividad, de forma poco selectiva y con cierto deseo de dominar al otro.

La Casa 5 describe también el modo de vivir nuestra parte masculina, o la proyección de nuestra imagen ideal a nivel de la pareja.

Para el hombre: vive su parte masculina de un modo afirmado. En la pareja es él quien toma las decisiones con rapidez, impaciencia y probablemente sin escuchar la respuesta de su pareja.

Para la mujer: proyecta un modelo de hombre decidido, lanzado, un poco machista. Este Habitante 1 en la Casa 5 se debe siempre relacionar con el Arquetipo Padre de la Casa 1. Si el número se repite (es decir, si tenemos 1 en la Casa 1) significa que inconscientemente proyectamos sobre la pareja el modelo "papá".

Puente: 4

Es una invitación a organizar más su vida, a hacer un esfuerzo de estabilización, de estructuración a través de una disciplina física y mental. Así como también la necesidad de tomar la vida con más calma.

2 en la Casa 5

Tenemos aquí la combinación del 5 Yang (masculino) con el 2 Yin (femenino).

El camino de las búsquedas se transita con dualidad y vacilación. La persona parece no tener un hilo conductor en sus ideas. Ondula con los vientos y a fin de evitar los enfrentamientos, se pliega a los deseos y opiniones del otro.

Su sexualidad se expresa de un modo un poco pasivo, pero lo hace a través de la ternura y la sensibilidad.

Su energía vital puede tener altibajos frecuentes que le impiden llevar a cabo esfuerzos físicos profundos, porque es muy sensible y vulnerable a las condiciones atmosféricas.

Esta persona necesita ser apoyada y estimulada por el otro, dado que sólo cuando se siente reconocida puede hacer surgir lo mejor de sí misma.

Tiene antenas que le permiten captar y sentir todo, y concibe el mundo a través de la intuición y la sensibilidad.

Es capaz también de recibir y asimilar fácilmente a nivel mental e intelectual.

La parte masculina se vive de la siguiente forma:

Para el hombre: revela un modo de comportarse frente a la mujer con sensibilidad e intuición, pero a la vez puede tener dificultad a la hora de elegir una sola pareja. Vive la relación con una gran receptividad y ternura.

Para la mujer: describe a la pareja ideal, con cualidades femeninas de sensibilidad, ternura, flexibilidad y la facultad de recibir amor.

Puente: 3

Es una invitación a la creatividad, a la animación, a través de la expresión personal, artística, que le va a permitir a la persona superar su timidez o su inseguridad.

3 en la Casa 5

Tenemos la cohabitación de dos números móviles, con energía Yang, volcados hacia los contactos sociales, con deseos de "brillar" y a la vez con un gran poder creativo en todos los campos.

La persona tiene un afinado sentido de los vínculos, así como un amplio dominio de la expresión verbal. Por ejemplo, puede ser un excelente profesor dado que tiene el don de la palabra, que le permite enseñar y transmitir los frutos de su pasión.

Pero hay que tener en cuenta que se puede desarrollar en muchas áreas, porque posee intereses variados y habilidades en casi todos los campos.

Necesita siempre seducir y debe ser permanentemente vista y admirada.

Se preocupa mucho por su apariencia externa, su *look* y sabe mostrarse muy agradable y ocurrente, para ser reconocida y amada.

Sabe disfrutar y vivir su sexualidad de forma armoniosa.

También tiene un gran sentido del humor, que le permite vivir de un modo alegre y agradable.

La parte masculina se vive de la siguiente forma:

Para el hombre: se preocupa mucho de su aspecto personal en función del sexo opuesto; quiere ser expresivo, artista, original y lleno de humor, con impulsos espontáneos y despreocupados.

Para la mujer: describe al hombre proyectado, como "societero", humorístico, artista, brillante, capaz disfrutar de la vida.

Puente: 2

Es una invitación a desarrollar la atención al otro, a saber escuchar y acoger al otro con sus diferencias.

4 en la Casa 5

Estamos en presencia de dos energías diferentes, el 4 tranquilo y el 5 animado.

Los cambios y los desafíos se viven con seriedad, con esfuerzo, con mesura.

Toda la búsqueda mental, la libertad, la sexualidad se ven limitadas por un concepto estricto "del deber".

Su imaginación carece de amplitud, de alto vuelo. Todo lo que es movimiento y cambio se ve restringido por el peso de la obligación. Funciona desde el "debo", el "hay que" impidiéndose el goce espontáneo y sencillo de la vida.

La persona no quiere correr riesgos o, si los acepta, es con gran cautela, cálculo y prudencia. Necesita saber dónde va a poner los pies antes de lanzarse, ya sea a un proyecto nuevo o a un simple viaje.

En realidad la persona necesita aire, cambios, movimiento; dejar que los colores de la vida se filtren un poco más en su "fortaleza amurallada".

La sexualidad puede ser vivida con trabas, normas y limitaciones. Esto puede provenir de una educación cargada de inhibiciones durante la infancia.

Para esta persona son muy importantes las opiniones familiares, los hábitos y costumbres ancestrales, los mandatos genealógicos.

Esto se ve reflejado en una relación tensa con su cuerpo, limitada por los miedos, con la rigidez de los mandatos y las prohibiciones. De ahí sus tensiones musculares, ya que no sabe escucharse a nivel físico.

En este caso, la mejor terapia es el baile, la expresión corporal o los masajes, para entrar en contacto con su propio cuerpo y familiarizarse con sus requerimientos.

Su energía está muy vinculada a la tierra y sus raíces son poderosas.

La parte masculina se vive de la siguiente forma:

Para el hombre: se comporta de un modo serio, con una imagen sólida y que da seguridad. Es trabajador disciplinado, pero un poco "cuadrado" en su modo de ser.

Para la mujer: describe el modelo del hombre proyectado, fiel reflejo de las tradiciones familiares, que va a ayudarla a enraizarse. Busca una pareja estable, protectora, capaz de darle seguridad material. (Mirar también quién es el Habitante de la Casa 1 para ver si repite el Arquetipo Padre.)

Puente: 1

Es una invitación a soltarse más, a no temerle a los desafíos, a avanzar con más determinación; en definitiva, a vivir con más audacia.

5 en la Casa 5

Tenemos aquí un *doublet* dado que el 5 se encuentra en su Casa.

Por lo tanto, las capacidades a nivel físico y mental se ven reforzadas. El individuo necesita aire y autonomía de vuelo, para saciar plenamente sus deseos de movimiento e independencia.

Su mente está siempre dispuesta a enfrentar nuevos retos, a abrirse a nuevos conceptos, a integrar ideas poco convencionales.

Su inteligencia es muy viva y capta rápidamente las situaciones, lo que lo convierte en un buen psicólogo, dueño de un radar afinado que detecta inmediatamente todo lo que ocurre a su alrededor.

Sin embargo, ese torrente de energía puede diluirse sin llegar a fructificar, ya que tiende a dispersarse en un abanico de investigaciones, experiencias y aventuras, movido por una curiosidad sin límites.

Desea transformar su vida en una gran aventura, que se renueve permanentemente, salpicada de riesgos y controversias, donde él sea siempre el centro del debate.

Le gusta jugar, provocar casi, ya que su movilidad le permite adaptarse a todo y sorprender a los demás.

Vive cada experiencia con dinamismo y plenitud. Posee un encanto magnético y sabe cómo utilizarlo.

Dispone de una energía física poderosa, así como de una sexualidad fuertemente relacionada con lo mental.

Debido a su condición Yang, tiene reacciones impulsivas y puede llegar a ser muy impaciente, posesivo e intolerante.

La parte masculina se vive de la siguiente forma:

Para el hombre: se comporta frente a la mujer de un modo independiente y aventurero, con una tendencia a la dispersión y a la falta de estabilidad.

Para la mujer: proyecta un hombre en continua búsqueda, muy movedizo, muy culto y abierto a todo. Busca una pareja temeraria, capaz de vivir situaciones de riesgos a todo nivel.

Puente:

No hay, pero se pueden dar algunos consejos:

Esta persona debe, imprescindiblemente, aprender a centrar sus energías, a darle un eje a su vida.

Para ello se recomienda hacer deportes o artes marciales (como el aikido o el tai chi), para evitar el fenómeno de la "olla a presión". También sería conveniente practicar la meditación y el silencio, para evitar que la vida sea un torbellino desequilibrante y estéril.

6 en la Casa 5

La Casa del análisis mental y del cambio está ocupada por tendencias serenas, con aspiraciones sensibles, de confort delicado, priorizando los sentimientos.

Un Habitante dulce con anhelos de ternura, de emociones, de amor cálido, fácilmente vulnerable.

Toda la afectividad es móvil y se adapta con fluidez a las diferentes situaciones, como si fuera un gato que cae siempre sobre sus cuatro patas.

La actitud general es fluir a favor de la corriente sentimental sin oponer resistencia; la persona vive "el aquí y el ahora", rescatando lo que hay de más agradable.

En un hombre, esto puede significar que coleccionará las aventuras sentimentales y sexuales, pero teñidas siempre de mucha sensibilidad y ternura.

Una mujer, en cambio, buscará una relación de afecto, de cariño, de intercambios cálidos.

A nivel de su cuerpo la persona es hipersensible, lo que la vuelve frágil a las agresiones exteriores (gripes, enfermedades virales, epidemias, etcétera).

Capta el mundo a través de los sentimientos, de las emociones, de la sensibilidad artística y especialmente, a través de los colores.

La parte masculina se vive de la siguiente forma:

Para el hombre: su comportamiento es emotivo, sensible, de alguien preocupado por los afectos. Puede, inconscientemente, estar a la búsqueda de la relación con su madre.

Para la mujer: sueña con una pareja artista, amante de la naturaleza, de la alimentación sana y de una vida armoniosa.

Una pareja que le brinde ternura y la manifieste a través de sus manos (como una madre protectora).

Puente: 1

Es una invitación a aprender a escucharse a sí mismo, para tomar decisiones más claras, más afirmadas, que lo ayuden a tener ideas más precisas sobre el manejo de su libertad.

7 en la Casa 5

Estamos en presencia de dos números Yang: el 5, que es libertad, cambios, análisis, y el 7, mental, con una exigencia de conocimientos firmes que le procuren confianza y solidez.

Esta combinación da como resultado un gran potencial intelectual, volcado hacia la mística, la filosofía, el análisis abstracto y teórico, pero que deja poco espacio a las emociones y a los sentimientos.

Existe cierta tirantez entre el deseo de libertad, de movimiento y una exigencia personal, que frena los impulsos del cuerpo y del corazón.

En esta mezcla del 7 y el 5 encontramos una gran vocación por la enseñanza, un deseo de valorizarse a través del "conocimiento" o de la transmisión de normas y valores intelectuales, morales, éticos o políticos.

La persona vive y experimenta todo desde su inteligencia; tiene necesidad de soledad y aislamiento para pensar, reflexionar, elaborar conceptos nuevos y comprender todo.

Pero en este proceso, deja de lado su cuerpo, olvida sus ritmos y sus necesidades físicas y emocionales. Vive tanto su dimensión mental, con una exigencia tal de perfección y ascetismo, que puede llegar a descalificar y despreciar a quien no vive a su nivel.

Esta actitud puede ser el resultado de una educación demasiado rígida y severa, que inhibió las manifestaciones espontáneas y el entusiasmo interior.

La persona debe sacudirse esas trabas y aprender a recibir y aceptar al otro sin preconceptos rígidos, sin tanto análisis; lo que, finalmente, le impide comprometerse en aventuras sentimentales u amorosas.

Vive su sexualidad y la relación con su cuerpo con muchas inhibiciones; le cuesta descender de las alturas de su mente hasta su cuerpo.

Su visión del mundo requiere elegancia, estética, cultura, refinamiento en el sentido más amplio del término, ya que detesta la mediocridad, la mezquindad, la trivialidad.

Pero no hay que perder de vista que lo que exige de los demás lo aplica primero consigo misma, con lo que colabora en cierta medida con el crecimiento de su entorno.

La parte masculina se vive de la siguiente forma:

Para el hombre: vive su parte masculina de un modo comprometido, reflexivo, elegante, estético, pero con serios problemas para expresar su ternura corporalmente. Su pasión se vuelca más en el papel, que en el abrazo.

Para la mujer: describe una pareja culta, estética, probablemente un hombre mayor, que le marque un rumbo, un hombre recto, intelectual y mental. Debe ser alguien con la autoridad moral que trae la experiencia, semejante casi a un padre o un abuelo.

Puente: 2

Es una invitación a acoger al otro y aceptarse a sí mismo, a no temerle a sus emociones; a acallar la voz de su mente para escuchar los mensajes de su cuerpo y su corazón.

8 en la Casa 5

La Casa 5 está ocupada por el 8, símbolo de logros materiales, de ambición social y de búsqueda del poder.

La persona con esta combinación tiene una mente poderosa, acompañada de un vigor físico y sexual que debe utilizar con conciencia y discernimiento.

El héroe 8 vive con el aventurero 5: un camino que reserva muchas sorpresas.

La persona está dispuesta a luchar con coraje y sin miedo a los obstáculos.

Pero esta audacia conlleva una cierta dosis de violencia y agresividad.

Su análisis de las situaciones es rápido y pertinente, producto de una mente alerta y oportunista.

Su inteligencia brillante, su fuerza de convicción y su magnetismo le otorgan un poder que puede llevarla a manipular al otro y a aprovecharse de él.

No es diplomática y busca siempre confrontaciones, ya que la competencia la estimula.

Su talón de Aquiles se encuentra en su plexo solar, lugar de sus contradicciones sentimentales.

Su energía física y sexual están al servicio del poder, con un gusto primitivo por la conquista, sobre todo en el hombre, pero siempre acompañadas por esta vulnerabilidad de su emoción.

La parte masculina se vive de la siguiente forma:

Para el hombre: de un modo poderoso, enérgico, lanzado. Puede dar la imagen de protector que procura seguridad, sobre todo a nivel material. Conquistador, inteligente y fuerte; un cocktail explosivo de poder, energía, brillo y protección.

Para la mujer: el hombre proyectado es poderoso y machista. Voluntarioso, triunfador, con un estatus social reconocido. Eligiendo este modelo de hombre, la mujer busca inconscientemente ser objeto de una violencia que se corresponde con su propia violencia interior, muchas veces renegada y agazapada en la sombra.

Es una mujer con ribetes masculinos, que "arremete" contra su adversario y suele destacarse en competencias deportivas. Una suave gatita que puede transformarse velozmente en una tigresa. Como siempre, debemos ver cómo se relaciona con la Casa 1.

Puente: 3

Es una invitación a permitir que aflore todo el aspecto creativo, el saber disfrutar y vivir el presente, la apertura en los contactos y la alegría. Por eso, este "caballero de brillante armadura" debe abandonar la lucha y rendir sus armas para permitirse más tiempo libre, de relajación y disfrute.

9 en la Casa 5

El espacio del cambio, del movimiento, de la libertad está ocupado por el 9, que es ideal, humanismo, conocimiento.

La persona tiene una visión amplia de las cosas, junto con un gran deseo de conocer, de aprender, de entender todo lo que concierne al hombre.

Necesita aire, espacio, libertad y no duda en lanzarse a investigaciones en todos los campos: futuro, vidas anteriores, evolución de la humanidad, etcétera.

Esta persona posee una gran sensibilidad, pero puede carecer de perseverancia debido a su efervescencia mental, la que se puede manifestar por un cierto nerviosismo o impulsos efímeros.

La reflexión puede verse aprisionada en una imaginación demasiado fuerte que la lleva más allá de sus límites, pero siempre dando lugar a la compasión espiritual, a los conocimientos psicológicos y a una imagen esperanzadora del hombre.

Esto es un terreno ideal para profesiones como etnología, sociología, psicoterapia, misiones humanitarias, o tareas en organismos internacionales; siempre con ganas de llegar a la humanidad entera, sin límites de razas, religiones o fronteras.

Su sexualidad y la relación con su cuerpo las vive a través de los sueños, de la imaginación, del ideal, de la belleza, con tendencia de convertirse en un "globo aerostático".

La parte masculina se vive de la siguiente forma:

Para el hombre: vive su masculinidad a través del amor universal, del ideal, de la compasión, del altruismo permanente. Todo esto lo lleva a una dificultad para vivir una vida de pareja estable y concreta, porque tiende siempre a idealizar su relación, incluida su sexualidad.

Para la mujer: el modelo del hombre es un humanista, activo, apasionado, pronto a aceptar riesgos para defender sus ideas. Es un hombre sensible y abierto, pero poco estable.

Puente: 4

Es una invitación a vincularse más con sus bases, a arraigarse más en lo material, para no vivir demasiado en las nubes.

La persona necesita organizarse más, para no perderse en sus sueños, en su imaginación desbordante, en sus anhelos a veces utópicos.

La Casa 6

Describe:

* Las relaciones afectivas en la familia y con los demás.
* El amor hacia los otros, consigo mismo y la responsabilidad familiar.
* La relación con el placer, el bienestar y la armonía.
* El modo de vivir la paternidad o la maternidad.
* La relación con la belleza y la naturaleza.
* El modo de vivir los aspectos femeninos y la proyección en la pareja.

0 en la Casa 6

Aparentemente esta Casa está vacía, pero sabemos que detrás del 0 tenemos el potencial del 1; es decir, de un aspecto que se puede llenar totalmente con un trabajo consciente.

En este caso, la persona viene a la vida con grandes temores de ser abandonada, de no ser amada y de "no merecer" ser amada.

Comienza su vida con una angustia permanente a nivel afectivo, que puede provocar tendencias depresivas y actitudes de auto-destrucción.

De hecho, es esta visión pesimista de sí misma que proyecta también hacia el otro, la que provoca más o menos conscientemente situaciones de abandono; esto hace, a su vez, que la persona abandone a otros antes de ser abandonada.

En el momento en que sea capaz de entregarse totalmente a un vínculo de pareja –sin temor al abandono– habrá superado su problema kármico, el cual una vez resuelto se transforma en un goce profundo de su vida sentimental.

Puede también solucionar este problema a través de la maternidad (o paternidad, en el caso del hombre), dando todo lo mejor de sí misma a sus hijos, sin esperar nada a cambio.

Debemos mirar también en qué Casas se encuentra el 6, para saber por dónde empezar para llenar este vacío:

Si está en la Casa 1, indica que la afirmación de la identidad o del ego debe manifestarse a través de la confianza, del amor, del brindarse.

Si está en la Casa 2, significa que toda su feminidad, su receptividad se debe hacer a través de la apertura al otro y la manifestación de las emociones a través del contacto físico.

Si está en la Casa 3, indica que se puede desarrollar a través de la expresión artística, o de los contactos humanos.

Si está en la Casa 4, señala la conveniencia de realizar un trabajo sobre el cuerpo, ya sea a través de masajes, estética, con productos cosmetológicos, o terapia con niños.

Debemos mirar, también, si encontramos el 6 con Sol en Áreas Claves como: el Alma, la Personalidad, el Número de Fuerza y otras, para ayudar a la persona a trabajar en este aspecto específico.

La terapia más urgente e importante es: tener confianza en sí misma, amarse, cuidarse y mimarse si es necesario, para ser capaz de amar a los otros sin miedo al abandono.

Hay también otros caminos posibles que son: el contacto con la naturaleza, la contemplación de la belleza o el encuentro con el arte (música, pintura, etcétera).

1 en la Casa 6

Estamos ante la convivencia de un número Yin y uno Yang, donde toda la afectividad y la responsabilidad familiar se expresan con autonomía y con audacia.

La persona está siempre tironeada entre estas dos tendencias: el manejo de sus energías afectivas y el dejar fluir emocional. Debe encontrar el equilibrio entre el sentir y el actuar.

Puede tener tendencia a la dominación o a la posesividad de los seres queridos, sobre todo en su maternidad o paternidad, donde puede desarrollar tendencias sobreprotectoras (mamá "gallina").

La persona vive el Amor más con su mente que con sus emociones: piensa más que siente. Esto hace que, a veces, maneje su afectividad con un poco de dureza.

Su relación con el placer se puede vivir de un modo impaciente y a veces rígido, debido a su dificultad para escuchar los mensajes de su propio cuerpo.

Es interesante investigar qué pasó a nivel de los padres y de los abuelos, ver la línea de las mujeres fuertes de la familia: debemos relacionar siempre al Habitante de la Casa 2 y de la Casa 6 para ver si repetimos el modelo de la madre, o en este caso de la mujer fuerte que domina el universo familiar.

La Casa 6 nos describe también el modo de vivir nuestra parte femenina, o el modelo ideal buscado en la relación de pareja:

Para el hombre: su forma de vivir sus aspectos femeninos lo lleva a proyectar un tipo de mujer Yang, con una energía masculina, que toma las iniciativas y que sabe lo que quiere. Una mujer dinámica, activa, quizás un poco rígida con su cuerpo, que busca sobre todo dominar sus sentimientos, afirmándose a través de su pasión, algo epidérmica y efímera.

Para la mujer: vive su feminidad de un modo activo y voluntario, con independencia, afirmación y el deseo de dominar a su pareja.

Puente: 5

Es una propuesta para vivir con más libertad, con más espacio, más flexibilidad. Hay que aceptar vivir la afectividad, prestando más atención a la emotividad de los otros.

Para los padres, propone admitir con más soltura la libertad de sus hijos, dejarlos vivir lo que deben vivir.

2 en la Casa 6

La Casa de la armonía, del calor humano y de la dulzura está ocupada por el mensajero de la receptividad, de la imaginación y de la generosidad delicada.

Los dos números Yin se dan la mano en este intercambio de ternura, de indudable predisposición a la sensibilidad y sus riquezas.

Es la unión de dos "receptores emocionales", de dos posibilidades de escucha, de delicados confidentes.

Pero en esta combinación también todo se puede vivir con vacilación y dualidad, de un modo muy tierno, emotivo y sentimental, pero a la vez vulnerable.

El corazón tiene aquí dificultades para decidirse: puede dudar entre dos amores, entre dos actitudes afectivas, y vivir una afectividad con fluctuaciones, dejándose llevar por la corriente de un modo pasivo.

La bondad y la apertura caracterizan este camino afectivo, armonioso y pacifista.

Le gusta dar consejo y ánimo a los otros, haciendo de esto la mayor de sus prioridades.

Tiene una gran reserva de amor y de ternura, así como también una gran necesidad de estabilidad, de plenitud fecunda y un gran ideal de fusión con el otro.

La paternidad o la maternidad se pueden ejercer sin gran autoridad, siendo muy permisivos, pero a la vez capaces de recibir lo que viene de parte de los hijos, con delicadeza y ternura.

La parte femenina se vive de la siguiente forma:

Para el hombre: describe la forma de vivir su propia feminidad y a la vez, la proyección que tiene de la pareja. Esta persona necesita encontrar una mujer capaz de escuchar, de mostrar receptividad, de ser sensible y flexible en el vínculo; una mujer que necesita protección y ternura.

Para la mujer: vive su feminidad de un modo dulce, suave y tierno, con grandes capacidades de acoger. Puede ser tímida, indecisa y un poco soñadora; pero confiada, disponible y flexible.

Puente: 4

Es una invitación a integrar una forma de vida algo más estructurada, o a establecer ciertos límites para lograr estabilidad y seguridad (sobre todo en el rol de educadores). Es preciso lograr una buena organización, pero cuidando de no caer en una rigidez excesiva (trampas del 4). La persona debe aprender a no absorber demasiado las dificultades de la vida o a no cargarse con los problemas de los demás, para, en cambio, hacerse cargo de sí misma con más responsabilidad.

3 en la Casa 6

La Casa de la conciliación y la armonía personal, de la flexibilidad, de la tranquila suavidad está ocupada por la alegría, la creatividad, la expresión corporal, la búsqueda de los contactos humanos.

La persona valoriza las relaciones humanas y se vincula con los otros con calidez y optimismo. La sensualidad se acompaña de una originalidad colorida, el Amor convive junto con el humor, la indulgencia con la despreocupación.

La expresión artística se ve favorecida, particularmente a través de la danza, la relajación musical, la expresión corporal, el contacto por medio de las manos, la pintura, etcétera.

Hay un gusto marcado por comunicar, por revelarse al otro. Es alguien a quien le gusta amar y festejar.

Si bien puede ser un poco "mariposa" o superficial en sus relaciones, su espontaneidad de niño le otorga un entusiasmo contagioso.

Esta mezcla del 3 y del 6 da una personalidad colorida y jovial que brota en todo su esplendor cuando la persona se siente valorizada y reconocida por su entorno; por el contrario, si esto no ocurre, puede encerrarse en sí misma.

La paternidad y la maternidad se viven desde la amistad y la complicidad: son excelentes compinches y compañeros de juegos de sus hijos.

La parte femenina se vive de la siguiente forma:

Para el hombre: busca una mujer agradable, comunicativa, que sepa valorizarse, simpática, con sentido del humor. Una mujer sensual, que aprecie la vida agradable, la buena comida, que necesite de sus amigos, sus relaciones. Una mujer también interesada por todas las formas de expresión artística.

Para la mujer: vive su parte femenina con animación y alegría. Tiene el deseo de ser reconocida a través de la manifestación de sus talentos femeninos y de sus talentos creativos.

Puente: 3

Estar atentos a los excesos del 3 que pueden ser: superficialidad, dispersión, exceso de dependencia de la opinión de los demás, lo que puede llevar a la imposibilidad de encontrarse a sí mismo.

4 en la Casa 6

El aspecto de la ternura, del relacionamiento fácil aparece aquí enmarcado en aspectos concretos, objetivos realistas y normas limitantes.

Los afectos se viven con cierto sentido del deber. La persona busca un encuadre para expresar y valorizar su sensibilidad y su ternura. Su apertura afectiva se debe manifestar a través de una actividad profesional estable y que le brinde seguridad.

Todos los impulsos del corazón se ven frenados por miedos físicos o por exigencias de protección. Generalmente, la persona sufrió durante su infancia de una carencia material o afectiva. Padeció también normas educativas demasiado estrictas o agobiantes, que la llevaron a amurallarse a nivel afectivo.

Debido a estas actitudes reservadas, puede llegar a trabar las expresiones afectivas en el dar y el recibir.

Vive con un marcado sentido "de no deberle nada a nadie" y puede volverse avara de su calidez y su ternura.

La solución, entonces, es derribar los muros protectores y aprender a soltar sus emociones, ya que en realidad esta persona necesita mucho amor.

La paternidad y la maternidad se pueden vivir con demasiada exigencia o rigor; por lo general, son padres que quieren dar seguridad a los hijos, pero a la vez corren el riesgo de encerrarlos en un molde demasiado estrecho.

La parte femenina se vive de la siguiente forma:

Para el hombre: describe cómo vive su parte femenina y su pareja proyectada. Una mujer responsable, seria, trabajadora, segura y organizada.

Para la mujer: es la que se encarga de la estructura familiar, de la organización de la Casa, aprecia que la gente cuente con ella y es capaz de consagrarse totalmente a las tareas cotidianas.

No hay que olvidarse de consultar quién es el Habitante de la Casa 2, para ver si se repite el modelo de la madre.

Puente: 2

Es una invitación a desarrollar mayor flexibilidad en la forma de acoger al otro; a ser menos rígido y a ponerse en movimiento para modificar la relación con los otros y consigo mismo.

5 en la Casa 6

La Casa de la belleza y de la placidez está ocupada por un personaje activo, móvil y libre.

Todo el aspecto sentimental se vive con autonomía, movimiento y libertad de mente.

Por otra parte, la persona siempre se está interrogando, analizando, intentando entender y explicarse lo que experimenta a nivel sentimental.

Por exceso de curiosidad, puede tener tendencia a "mariposear" buscando sensaciones y sentimientos nuevos. Esta "bulimia" de aventuras puede enmascarar una profunda angustia de ser abandonada, de no ser suficientemente nutrida en su mundo afectivo.

Estas actitudes pueden desarrollar tendencias celosas, ya que no soporta que la persona con la que se encuentra involucrada sentimental o emocionalmente se relacione activamente con otras personas, proyectando en el otro su propio modo de actuar.

Sus ideas sobre la pareja son generalmente poco convencionales y algunas veces, muy de avanzada.

Puede tener tendencia a desperdiciar sus energías y corre el riesgo de cansar y hasta agotar a sus seres queridos. Puede desestabilizar al otro, el cual desearía poder vivir a su lado más serenamente.

La paternidad y la maternidad se viven con gran sentido de libertad y una falta de exigencias, que pueden acarrear dificultades para los hijos.

La parte femenina se vive de la siguiente forma:
Para el hombre: sus aspectos femeninos necesitan contrarres-

tarse, por lo que proyecta una imagen de mujer activa, lanzada en sus relaciones, abierta en su búsqueda mental y con un gran deseo de libertad e independencia.

Para la mujer: es alguien que está siempre en movimiento físico e intelectual, lista a dinamizar la pareja o a experimentar nuevos modos de vivir. Con una fuerte tendencia a analizar o a entender el porqué y el cómo de su vida afectiva.

Es importante considerar quién es el Habitante de la Casa 2, para ver si esta hija está intentando liberarse de un modelo materno, demasiado sofocante.

Puente: 1

Esta diferencia es una invitación a centrarse, a buscar una orientación más definitiva y más homogénea en los objetivos, a establecer un rumbo, un norte que impida la dispersión, producto de tanta movilidad.

6 en la Casa 6

El 6 está en su Casa y sus características están potencializadas: tenemos un *doublet*.

El 6 se encuentra bien protegido en la quietud y la dulzura, favoreciendo la armonía corporal y sentimental. Pero con el potencial del 6 reforzado, podemos encontrar también sus excesos: vulnerabilidad y pereza.

La persona necesita dar y recibir amor y ternura. Es cálida y sensual, y le gusta mimar y proteger a los seres que quiere.

Sabe crear a su alrededor un ambiente de confort, de amabilidad para su familia o su grupo. Puede tener tendencia a sobreproteger o a brindar cuidados excesivos en torno a ella, indicando que lo que está dando a los demás es lo que, en realidad, espera recibir de ellos.

Se puede dejar llevar por sus sensaciones o emociones, provocándole una cierta indecisión. No utiliza ni la lógica ni la razón al construir su tela, la cual –si se descuida– puede convertírsele en trampa.

Muy sensible y delicada, esta persona tiene un gran potencial de talentos artísticos y sabe apreciar la belleza de cada cosa, la elegancia de los gestos, de los colores, etc. Se puede expresar a través de la pintura, la música, la danza. Le gusta disfrutar en todos los aspectos.

Los sentimientos ocupan el centro de su vida, y el Amor es el motor de su apertura y, por este amor, puede llegar hasta el sacrificio y la abnegación.

Le gusta soñar y sueña con el Amor. Pero para complacer a todos, hace demasiado en función de los demás y puede verse abrumada por sus responsabilidades; esto la lleva a no lograr distinguir cuál es su lugar, su posición en esta vida.

Cuando se brinda demasiado, refuerza el cordón umbilical e impide al otro vivir su autonomía, llegando incluso a la manipulación afectiva.

Se aconseja intentar priorizar las demandas, saber escucharse a sí misma; en definitiva, poner límites.

La paternidad y maternidad se viven con demasiada reticencia o miedos, teniendo serias dificultades para permitir a los hijos vivir su destino.

La parte femenina se vive de la siguiente forma:

Para el hombre: proyecta su lado femenino y sueña con una pareja maternal, sensible, tierna, capaz de escuchar, y que esté atenta a los pequeños detalles de la vida; amante del confort y del bienestar familiar.

Para la mujer: vibra al ritmo de su corazón y de su cuerpo; refinada, delicada, artista, amante de la belleza a todos los niveles. Vive en un universo de sueños, de sueños de amor.

Puente:

No hay, pero podemos hacer algunas recomendaciones:

Estar atentos a los excesos del 6, que son:

- Una posesividad desmesurada que asfixia e impide el crecimiento personal del otro.
- Una pasividad que denota inconsistencia y que resulta ser una forma de escape.
- Una falta de energía que da la impresión de que la persona "queda vacía", al dar demasiado.

7 en la Casa 6

La Casa de la armonía y la dulzura, de los impulsos sentimentales y artísticos está ocupada por el 7, que representa la búsqueda interior, esta vez aunando conceptos estéticos y mentales.

Tenemos una idea de perfección que puede abarcar desde la sabiduría corporal, hasta una conciencia elevada de su Ser total.

Todo se hace a través de la reflexión, el análisis y la toma de conciencia. La armonía física se elabora por medio de la meditación, la disciplina y la mística.

Todos los impulsos y sentimientos se viven con rigidez y una cierta forma de ascetismo.

La amistad ocupa más espacio que el amor, porque los intercambios se viven de un modo intelectual o espiritual, más que sensual o tierno.

Un fuerte caparazón protege a este capullo sensible y lo bloquea en su proceso espontáneo de relación fluida con el otro.

Hay aspectos muy secretos, un camino solitario y un marcado gusto por los estudios. Puede ser alguien muy misterioso y enigmático para los demás, y tener tendencias autodestructivas por exceso de exigencia.

La paternidad y la maternidad se viven con poca sensibilidad y muchas exigencias.

El consejo: darle más cabida a sus emociones profundas, tratar de aprender a relajarse y dejar fluir sus sensaciones, sin que su mente controle todo el aspecto emotivo.

Dejar más espacio a la flexibilidad, al saber disfrutar, a la felicidad y al entusiasmo.

La parte femenina se vive de la siguiente forma:

Para el hombre: el modelo de mujer proyectado debe ser intelectual, mental, con una energía masculina, íntegra, exigente, que respete los códigos culturales o espirituales.

Para la mujer: se trata de una mujer con principios de vida éticos, severos, probablemente austera y poco expresiva.

Debemos considerar qué pasó en su educación a través de los

Habitantes de las Casas 1 y 2, donde quizás podremos encontrar alguna señal de frustración o de rigidez en la infancia.

Puente: 1

El 1 con su impulso, su vivacidad y su entusiasmo, ayuda a expresarse y a vivir.

8 en la Casa 6

La búsqueda del refinamiento y la serenidad del 6, conviven con los impulsos ambiciosos y llenos de audacia del 8.

El mundo afectivo se vive con potencia, de forma áspera. El potencial sentimental, sensual o de relación debe responder a metas de eficacia, de estrategia, o a ritmos exigentes, poco compatibles con el ánimo pacífico del 6.

Los impulsos del corazón deben cohabitar con la maestría interior y la fuerza conquistadora. El héroe tierno tiene una coraza perfeccionada.

La persona se interesa en actividades relacionadas con el cuerpo: cirugía estética, curas de adelgazamiento, talasoterapia, los productos cosméticos, los artículos lujosos, pero siempre con un espíritu organizador, con miras a la productividad y rentabilidad.

Desea una sólida y destacada posición social.

Pero si logra darle más espacio al 6 –sereno y afable–, dejando un poco de lado al 8, va a vivir de forma más armoniosa, más apacible; va a aprender a suavizarse y a relajarse. Va a priorizar los contactos afectivos con los demás, así como también podrá abrirse a la receptividad, la delicadeza y la escucha del corazón.

La paternidad y la maternidad se viven con autoridad, poderío y absolutismo.

La parte femenina se vive de la siguiente forma:

Para el hombre: la mujer proyectada es ejecutiva, activa, poderosa, dispuesta a luchar para afirmar sus talentos.

Para la mujer: vive su parte femenina de un modo enérgico, lanzado, con el deseo de ser reconocida socialmente, pero prestando poca atención a su Ser interior y a sus componentes de tolerancia o dulzura.

Puente: 2

La propuesta aquí es volverse hacia a sus emociones profundas y tratar de encontrar un mejor equilibrio en el manejo de su sensibilidad e intuición.

9 en la Casa 6

El ámbito un poco limitado del 6, delineado por sus deseos de confort y ternura, se ve ocupado por los grandes espacios del 9.

El potencial sentimental y las responsabilidades afectivas se viven aquí con esperanza, con generosidad, abnegación y creatividad.

Esta combinación del 6 y el 9 demuestra una rica sensibilidad, que se nutre intensamente de sus emociones y a la vez se expande hacia otros terrenos, que trascienden lo meramente cotidiano.

Las relaciones se ven fuertemente coloreadas por la imaginación. Deseos y pasiones se experimentan a nivel del sueño y de la intuición.

La persona debe aprender a protegerse de tanto ideal, de un altruismo algo utópico y de demasiada compasión por los demás, para evitar la sobrecarga afectiva.

Con su visión planetaria y holística, puede lanzarse a todo tipo de grupos humanitarios en la corriente de la Nueva Era.

Esta mezcla hace que la paternidad y la maternidad se vivan con mucho idealismo, pero como contrapartida, con fuertes riesgos de perder de vista la realidad.

La parte femenina se vive de la siguiente forma:

Para el hombre: proyecta el deseo de una mujer idealista, universal, sensible a los mensajes de los grandes espacios del corazón o de la mente, artista, abierta al servicio y a la compasión.

Para la mujer: vive su feminidad con una conciencia amplia, disponible, con un deseo de libertad e independencia, con una voluntad de colaborar en la evolución de la humanidad.

Puente: 3

Es una invitación a utilizar su creatividad, su sentido de los contactos humanos, para impulsar proyectos a veces indecisos.

Debe también evitar caer en las trampas del 3: frivolidad, dispersión y vanidad.

La Casa 7

Describe:

- El modo de vivir la propia espiritualidad, la relación con la Energía Divina.
- El modo de vivir la reflexión interior, la toma de conciencia personal.
- El potencial de conocimiento, del estudio, del saber.
- Se refiere también a los esquemas mentales y psicológicos.
- La relación con las herencias culturales familiares.

0 en la Casa 7

Es la posibilidad de la Nada y el Todo a la vez. Aparentemente, esta Casa está poco desarrollada al inicio de la vida, pero se puede edificar y llenar, de acuerdo con las circunstancias y la evolución del Ser.

Este vacío significa que la persona debe encontrar su camino espiritual y su seguridad intelectual.

Hay que analizar dónde aparecen otros 7 y si están en puntos fuertes, ya que la iniciación se hará probablemente desde estos puntos.

Es una invitación a dedicar más tiempo a la meditación, la reflexión, el conocimiento interior; aprender a clasificar y a mejorar éste último.

Se aconseja desarrollar una disciplina interior con miras a un trabajo intelectual y espiritual. La persona debe aprender también a tomar distancia de sus emociones y cuestionarse sobre los verdaderos valores de la existencia.

Puente:

No hay, pero no debemos perder de vista que la persona, apenas comenzado su desarrollo mental o espiritual, ya experimenta un gran deseo de llenar este vacío, lo que la puede llevar a los excesos del 7 que son: una cierta "bulimia" en cuanto al saber y a los conocimientos; o una exigencia espiritual, que puede lindar con un cierto fanatismo o estrechez mental.

1 en la Casa 7

La Casa de la reflexión interior y de la soledad está ocupada por un caballero fogoso e independiente, solitario y audaz, que necesita actuar, vencer sus propios límites y lanzarse a nuevos desafíos.

El viejo sabio está estimulado por un joven pionero entusiasta.

La persona quiere tomar la iniciativa y lanzar proyectos antes que los demás.

La fuerza y el individualismo del 7 se van a expresar con el dinamismo del 1; esto dará como resultado la fuerza de reflexión, sostenida por una gran capacidad de acción.

La persona quiere progresar sola en sus estudios y a través de su aprendizaje. Es generalmente autodidacta, y sabe dónde y hasta dónde quiere llegar en su camino intelectual y espiritual.

Difícilmente acepta los consejos de los otros y tiene dificultad en reconocer sus errores.

La impaciencia le puede impedir captar el sentido profundo de las cosas. Le podemos aconsejar tomar tiempos de reflexión, para evitar actuar con impulsividad.

Intenta ser la primera en enseñar cosas nuevas, y con su entusiasmo quiere convencer a los demás de la importancia de su descubrimiento.

Puente: 6

Es una invitación a dejar más espacio a la tolerancia, la dulzura, la flexibilidad, y a dejar fluir las emociones.

2 en la Casa 7

La Casa de la reflexión analítica, de la concentración interior está ocupada por las emociones, la dilución interna y la dependencia del otro.

El camino de la progresión espiritual y la búsqueda de la perfección mental, se va a hacer de un modo sensible, móvil, dualista.

La persona desea recibir ayuda y consejos, sobre todo en referencia a sus estudios. Prefiere compartir su trabajo intelectual y se amolda a las ideas o pensamientos de aquellas personas que considera más fuertes.

En realidad, tiene poca confianza en sus dones y debe aprender a mirar dentro de sí para descubrir su verdadero potencial espiritual e intelectual.

Generalmente no le gusta arriesgarse en la afirmación de su conocimiento o en la expresión de su búsqueda interior.

Pero si aprende a escuchar sus mensajes profundos y a revelar su tesoro interior, podrá sobreponerse a su dualidad y encontrar su propia verdad.

Puente: 5

Para abandonar los miedos o los cuadros mentales inhibidores, se aconseja correr riesgos o aceptar los desafíos que se presenten.

Propone también considerarse con más humor, a fin de abandonar la coraza protectora de la que se recubre.

3 en la Casa 7

La Casa de la introspección, de la meditación, de la concentración mental está ocupada por el 3 que es exteriorización y comunicación.

Las ideas se desarrollan y se expresan de forma original y plenas de humor.

Este sector del 7, un poco triste y gris, se ve animado por actividades coloridas y dinámicas.

La persona se interesa en actividades tales como: escritura, estudios sobre arte, música, idiomas, relaciones humanas, etcétera.

Le gusta comunicar sus investigaciones o sus tomas de conciencia. Las expresa y transmite con placer. Sus mensajes son agradables, lo mismo que su discurso pedagógico.

Puede ser un excelente profesor o animador, lleno de vida y encanto.

Pero debe encontrar un justo equilibrio entre sus impulsos creativos, sus deseos de comunicación a veces dispersos y su necesidad de centrarse, de reflexionar en el silencio interior.

Debe escoger entre "el parecer" y el "verdadero conocimiento", entre la seducción y la interiorización.

Puente: 4

Este puente invita a descubrir bases serias para la expresión personal; propone la búsqueda de la verdad filosófica y espiritual construida sólidamente, afirmada paso a paso en conocimientos profundos.

Invita a desarrollar la tenacidad, la eficiencia producto de la regularidad y la constancia, aplicándolas sobre todo en el terreno profesional.

4 en la Casa 7

La preocupación por la organización, la necesidad de una estructura material protectora y estable, el respeto por la tradición ocupan la Casa de la reflexión y la búsqueda mental.

El sentido de lo concreto cohabita con la necesidad de abstracción: si se hacen proyectos, se hacen con los "pies en la tierra". Los estudios, por ejemplo, se llevan a cabo con seriedad y disciplina.

El peso de los hábitos da consistencia al saber y el marco valoriza al contenido.

El ser necesita seguridad, silencio y casi un cierto ascetismo para dejar surgir su verdadero valor.

Necesita contar con sus conocimientos y sus referencias de forma organizada, bien clasificada (diplomas, etcétera).

Está listo a defender los valores y enseñanzas que considera válidas, y desea ser su protector y guardián.

Detrás de este 4 podemos encontrar una tendencia a la autolimitación, al autocastigo por exceso de exigencia, y podemos también llegar a un cierto encierro, rechazando todo lo que no corresponda a nuestra ética o formación intelectual.

Debemos analizar, entonces, cuál fue el peso de la tradición, de la educación, de la historia familiar; dónde ese niño lleno de vitalidad fue frenado o limitado por actitudes castradoras, de un pariente o un educador.

Puente: 3

Es aconsejable desarrollar todo el aspecto imaginativo, la creatividad; dejar fluir libremente el humor, la espontaneidad; dar más espacio a la fiesta, a la "locura", a la fantasía y a la alegría de vivir.

5 en la Casa 7

La Casa de la firmeza moral, de la estructura de la vida consciente está ocupada por energías liberadoras e impulsos de cambio y de extroversión.

Tenemos dos números Yang, 7 y 5, en los cuales el intelecto está en primer plano.

La búsqueda de rectitud y de convicción se hace a través de la movilidad y el anticonformismo. La necesidad de seguridad y de perfección se ponen a prueba en medio de una tempestad de actividades a veces imprudentes que realiza este 5, un tanto improvisador.

Se desea experimentar todas las cosas de forma inmediata, rápidamente y con el mínimo de tiempo a perder.

La persona necesita transmitir sus conocimientos con mucha vivacidad y pasión. Le gusta convencer a la gente y está siempre en pos de nuevas ideas o teorías.

Sabe utilizar muy bien sus capacidades mentales, pero algunas veces puede caer en un exceso de ego que todo lo sabe, todo lo entiende y todo lo critica.

Puente: 2

Una apertura sensible puede aportar un poco de dulzura a esta combinación dura y rígida.

Se aconseja mayor flexibilidad y saber dar acogida a las ideas de los demás, así como también una mayor escucha a sus emociones y a su feminidad.

Le proponemos reconocer las ventajas de una cooperación, tendiendo la mano hacia el otro y pudiendo así finalmente pasar a través de las crisis interiores de crecimiento.

6 en la Casa 7

La Casa de la reflexión y de la estructura mental y espiritual está ocupada por la búsqueda de armonía, los impulsos sentimentales y tiernos.

Al interior de este 7 Yang (masculino), encontramos la necesidad de un ambiente sereno, cálido, con deseos de apertura sensible y dones afectivos reales.

La persona deja crecer su flor interior sin rigidez, tal como lo siente, sin una intervención mental estricta.

Es capaz de regalar sus dones ya sean estos de su conocimiento, de su corazón, de sus manos o de su cuerpo.

Necesita estar rodeada del cariño de su familia o de una comunidad. Es un ser responsable, educador, que inspira confianza, que actúa con benevolencia. Sin embargo, necesita un cuadro de referencias filosóficas o religiosas para sostener su misión.

Su vida interior se nutre de sentimientos y de escucha profunda. Es capaz de sacrificarse por los demás y debe encontrar el justo equilibrio.

Esta combinación del 6 y del 7 ofrece la posibilidad de desarrollar la energía espiritual generando luz y amor a la vez.

Puente: 1

A su sabiduría del corazón le será más fácil irradiar su luz interior si inyectamos un poco más de dinamismo en la acción, así como también mayor iniciativa para progresar con autonomía.

7 en la Casa 7

Tenemos aquí un *doublet*, 7 en 7. La persona está invitada a ir más lejos en la reflexión, en la búsqueda interior, en su sed de conocimiento y de verdad.

Su deseo consiste en saber y en poder transmitir los conocimientos, tal como le fueron enseñados por su padre.

Los valores primordiales son la rectitud y la firmeza moral. Éste es un "pensador" serio y algo impenetrable, ya que su necesidad de silencio y soledad lo aíslan del resto haciendo de él un "personaje aparte".

También es un perfeccionista en materia de razonamiento. Es un místico y puede abandonar la batalla para consagrarse a la meditación y a la oración.

Es ascético por naturaleza y desconfía de sus sentimientos y sus deseos sensuales. Puede llegar a un camino de autodestrucción o bien de redención, a través del sufrimiento.

La exigencia que se aplica a sí mismo desea imponerla a los otros y corre el riesgo de cerrar así numerosas puertas y corazones.

El consejo es intentar liberarse de esta coraza mental y dejar entrar más sol y calor humano en su vida, así como también mayor espontaneidad y humor.

De esta forma, podrá entrar más libremente en el mundo de la iluminación y en la sabiduría divina.

8 en la Casa 7

El registro de la búsqueda meditativa y la toma de conciencia está habitada por un fuerte deseo de búsqueda constructiva y toma de poder.

Toda la estructuración interior se va a hacer con estrategia, con rapidez, energía y tenacidad, apuntando a una realización material.

La persona demuestra mucha fuerza de carácter; sabe callarse cuando es necesario pero también cuando ha escogido un camino, sabe pelear e imponerlo sin miedo. Es capaz de organizar y elaborar estructuras para la transmisión del conocimiento más elevado.

Es un gran pensador, al cual le gusta concretar sus proyectos. Dispone de un gran potencial intelectual y no pierde tiempo en consideraciones diplomáticas: impone su ley y sus ideas sin moderación.

Puente: 1

Podemos proponer aquí recuperar nuevamente los impulsos "puros", la vuelta al niño lleno de originalidad y creatividad, a salvo de los excesos de egocentrismo, de la impaciencia y la dureza del 8; así como también de la frialdad y el orgullo del saber, propios del 7.

9 en la Casa 7

La Casa de la toma de conciencia está ocupada por un deseo de horizontes amplios y apertura universal.

La búsqueda de comprensión del hombre, del mundo, se lleva a cabo a través de una visión global, holística, casi futurista. La persona quiere transmitir sus conocimientos a un público más amplio. A su enseñanza intelectual, se agregan la potencia de sus emociones y la claridad y el alcance de sus visiones.

Progresa en el camino con fe y esperanza. Es muy meditativa e intimista, pero le gusta irradiar luz al exterior.

Tiene de la mano del 9 todas las trampas del exceso de imaginación e ilusión que pueden hacerlo escapar de la realidad, por demasiados sueños e ideales.

Puente: 2

Este 2 ofrece flexibilidad y cooperación para avanzar en la vida. La persona tiene interés en desarrollar la modestia y la dulzura en su búsqueda altruista, sin olvidar la ternura y la apertura afectiva.

Si logra combinar la sabiduría y la escucha sutil de sí mismo y de los demás, podrá superar las crisis y utilizar sus ideales al servicio de los otros, más allá de las fronteras geográficas o mentales.

La Casa 8

Describe:

- El modo de utilizar nuestros talentos.
- El poder de estrategia y de realización.
- El poder de alquimia para transmutar las energías en obras.
- La preservación del patrimonio.
- El estatus social y ambición personal.

0 en la Casa 8

La Casa 8 está ocupada por un Sol, un vacío aparente, que se puede llenar más o menos rápidamente, según las circunstancias de la vida.

La persona está invitada a desarrollar sus talentos, su potencial de realización material y a tomar conciencia de su poderío a todo nivel: físico, mental, emocional y espiritual.

Aconsejo, en este caso, que la persona haga una lista de sus talentos, o también de aquello que le gusta en la vida, y va a descubrir que, en realidad, tiene muchos dones potenciales para hacer fructificar.

Es importante considerar dónde aparece el 8 en el Tema. Si no sale en lugares importantes como en el Alma, Misión, o Iniciación Espiritual, significa que ya fue trabajado en vidas anteriores.

Si, por el contrario, lo vemos presente en otras Casas de la Inclusión o en Áreas Claves, significa que la persona debe trabajar el 8 a esos niveles. Esto puede indicarle el camino para llenar su Sol.

Lo importante, en este caso, es desarrollar su capacidad para encontrar la seguridad material y no tener miedo del dinero. Aprender a utilizarlo como una energía buena, evitando el desequilibrio en su manejo; ya que cuando tiene dinero se le escapa de las manos y cuando no lo tiene, vive la angustia de la inseguridad material.

Sabemos que detrás del 0 está el potencial del 1, con su correspondiente energía y afirmación. Aparentemente, este combatiente tímido, que no sabe, en un primer momento, vender sus méritos y sus talentos, puede esconder un potencial muy grande de realización y de estrategia. Esto ocurre una vez que logra hacerse consciente de lo que le falta para afirmarse.

Puente:

No hay, pero debemos cuidar de no llegar a los excesos del 8, pasando de la Nada al Todo, en forma desmedida (materialismo, ego excesivo, abuso de poder).

1 en la Casa 8

La Casa del poder y de las realizaciones materiales está ocupada por un joven caballero con impulsos dinámicos y reflejos rápidos. Un ser voluntarioso, entusiasta, que prefiere manejar su potencial de forma independiente.

La organización, la expansión y la producción se hacen con fervor, habilidad y una cierta autonomía.

La persona sabe persuadir para progresar a través de los obstáculos financieros o profesionales, y sabe defender su estatus y sus propios intereses.

Su modo de actuar se manifiesta con invención, persuasión, lealtad y fuerza de carácter. Tiene una inteligencia viva y una lógica implacable, que le permiten desbaratar las trampas del enemigo o de la vida.

Por su voluntad de triunfar, o de acceder al poder, puede ser demasiado intransigente en sus exigencias y distante o fría en sus contactos con los demás.

Puede tener también una mente crítica, así como cierta impaciencia y un fuerte deseo de dominar, o de ser reconocida por lo que es.

Se le puede aconsejar un poco más de tolerancia y modestia, para no caer en la trampa del orgullo y la prepotencia.

Puede ser pionera, sin renegar de la preparación del terreno hecha por sus predecesores, y reconocer que sus talentos son simples herramientas para transformar la tierra (su alquimia).

Puente: 7

Es una invitación a tomar conciencia de la forma de utilizar los talentos, mantener "la cabeza fría" y tomar distancia de lo material.

Una propuesta para utilizar la meditación y la introspección para no actuar tan rápidamente y no dejarse llevar por sus impulsos.

Es una invitación a relacionar "Cielo" y "Tierra", reflexión y batalla.

2 en la Casa 8

La Casa de la realización material o de la estrategia, está ocupada por el 2 que es sensibilidad, capacidad de asociación y necesidades afectivas.

El poder, el estatus o los logros externos se van a alcanzar a través del equilibrio interior, la apertura a los consejos del otro y la escucha de su sensibilidad y de sus emociones.

Esta persona puede echar mano a su gentileza, su sinceridad y su apertura, para progresar en sus realizaciones.

Pero el arte de esta combinación reside en equilibrar estas dos tendencias: el poder del 8 y la sensibilidad o feminidad del 2.

Aprender a aprovechar la belleza del 2 y no caer en sus trampas de ambivalencia o falta de confianza en sí misma.

La fuerza de la persona reside en su habilidad social o su capacidad de adaptarse a los eventos. Debe aprender a preservar su integridad personal y a clarificar sus opciones, para evitar verse tironeada por los flujos contradictorios que intervienen en su progresión.

Su poder reside en su intuición, en su capacidad de captar a las personas, de saber escuchar y aconsejar; siempre que no tema afirmar estos talentos.

Puente: 6

Indica a la persona que el modo de expresar sus talentos se va a llevar a cabo en el seno de sus emociones, de su sensibilidad, de su feminidad, de su capacidad de amar.

3 en la Casa 8

La Casa del poder y de la estrategia está ocupada por un dinamismo extrovertido, con impulsos sociales, amistosos y optimistas.

Todo el potencial de realización material, de dominación y de estatus social se va a hacer a través de la creatividad, privilegiando la expresión y la comunicación. La persona demuestra su fuerza y su potencial, utilizando sus dones de comunicación, con el soporte de los medios, así como de la creación artística (expresión corporal, literatura, música, pintura, teatro).

Posee un sentido muy desarrollado de las relaciones humanas, que le permiten tener éxito en todos los campos de estrategia publicitaria o comercial.

Su mente poderosa la lanza a proyectos audaces, donde sus capacidades de triunfo hacen maravillas, pero a condición de no dejarse llevar por los excesos del 3, que son: pretensión, superficialidad y apariencia.

Sabe hacerse su propia publicidad y se procura los medios para valorizar su imagen o su presentación. Esto lo logra a través de sus propios talentos, que sabe utilizar con mucha estrategia (la calidad de su voz, su modo de vestirse, su poder de creatividad y de desarrollar contactos).

Puede ser susceptible o irritable con respecto a su imagen pública y debe descubrir un camino más suave, más benévolo, más humanista para canalizar sus impulsos.

Su dilema es "ser" o "parecer"; por eso, debe encontrar su propia riqueza interior, su sabiduría, su potencial profundo y superar sus tendencias de autoadmiración superficial.

Puente: 5

Este puente nos recuerda que en el Árbol de la Vida el 5 se relaciona con *Geburah*, el Rigor, con la depuración, con el podar aquellos aspectos que nos impiden purificarnos y ayudarnos a progresar.

Entonces, es una invitación a liberarse de los aspectos externos de riqueza o de apariencia, para lanzarse sin miedos, con toda la energía, en los procesos de evolución o de cambio.

4 en la Casa 8

La Casa de la realización material o del poder está ocupada por una gran preocupación de orden, disciplina y organización concreta.

El sentido del deber, del trabajo bien hecho, del respeto por la disciplina proporcionan criterios de seguridad.

Con esta combinación, la persona realiza sus proyectos con perseverancia y cuidado del detalle.

Necesita una estructura material estable, para ser totalmente eficaz.

Es una persona de absoluta confianza, por su sentido del deber y su responsabilidad. Actúa con meticulosidad, previsión y el sentido de la economía. No es raro que llegue lejos ya que avanza lentamente, pero con seguridad.

No le teme a los esfuerzos y a las pruebas, a condición de obtener un mínimo de reconocimiento personal.

Como para esta persona el trabajo es lo más importante, no se relaja hasta que consiga sus metas previstas.

Su punto débil es su falta de flexibilidad, la pobreza de su comunicación afectiva o de su disponibilidad interior. Dado que tiene miedo de dejar fluir sus emociones y sus sentimientos, se le puede aconsejar más improvisación o espontaneidad para liberarse de sus inhibiciones.

Está orgullosa de sus tradiciones y se siente fuerte en un contexto reconocido.

Por esto su puesto en la línea familiar es tan importante, porque tiene un papel particular en la continuación de las tradiciones o del patrimonio familiar.

Se considera el guardián de este patrimonio que incluye no solamente los aspectos materiales, sino también los miedos, dudas o bloqueos de su línea familiar, que debe aprender a transmutar con su propia alquimia.

Puente: 4

Es una invitación a abrir esta estrechez del 4 para dejar entrar sol y luz en la vida, para disfrutar de la abundancia bien ganada y saberla compartir con los demás.

5 en la Casa 8

El sector del poder, de la realización está caracterizado por el cambio y la movilidad.

La búsqueda del estatus social se cumplirá a través de impulsos llenos de vivacidad, de curiosidad y probablemente de anticonformismo.

A la persona le gusta mucho actuar y demostrar su fuerza fuera de lo común. Necesita aire y espacio para avanzar en el camino del éxito.

Sus realizaciones se viven con audacia y entusiasmo. Una gran movilidad estratégica acompaña su deseo de modificar, a menudo, el rumbo de sus propósitos. No duda en arriesgarse en sus negocios, para ser reconocida y convencer a los otros.

Es muy hábil, pero puede a la vez reservar muchas sorpresas: una gran impulsividad y febril nerviosismo caracterizan su modo de actuar.

Ávido de justicia y libertad, este héroe no tiene miedo de los cambios y los viajes, sobre todo, cuando provocan su curiosidad y su deseo de aventura.

El riesgo es la dispersión de la energía, dada la multiplicidad de emprendimientos en los que se compromete. Puede caer en la trampa del hiperactivismo, forma sutil de droga que puede limitar su conciencia y su libertad.

Para evitar este exceso, el consejo que le podemos dar es aprender a disciplinarse, a centrarse en sí mismo para escuchar sus mensajes profundos; y encontrar una armonización entre sus deseos, sus energías personales y las leyes o fuerzas universales de la evolución del ser humano.

Puente: 3

Este puente nos invita a desarrollar la generosidad, la sociabilidad, el humor y la comunicación. Conectarse y expresar su propia creatividad, para irradiar alegría, flexibilidad y bienestar.

6 en la Casa 8

La Casa del poder y de la realización está ocupada por la ternura, la tolerancia y la comprensión.

Todo el potencial se desarrolla en el área de los vínculos, en el seno de la familia o del grupo, con una búsqueda de armonía y de estabilidad.

La persona parece mezclar los negocios con los sentimientos.

Orienta sus acciones preferentemente hacia a la dulzura, la sensualidad, para lograr la sensibilización de sus seres queridos.

Invierte en lo que edifica el cuerpo, en la estética (centros de terapia, de belleza, clínicas relacionadas con la estética, etcétera).

Está interesada por las cualidades de su entorno, de sus amigos, de sus colaboradores, dado que, para vencer en la batalla profesional, necesita sentirse apoyada por su grupo.

Da prioridad a la calidad del ambiente, a los sentimientos dinamizantes y fecundos.

Quiere avanzar con dulzura y sinceridad. Es paciente y sabe vivir con su propio ritmo de progresión, rico en intercambios receptivos y confidencias gratas.

Sin embargo, debe estar atenta a no caer en la pasividad, la falta de rigor o la credibilidad, que pueden llevarla al diletantismo, la no-productividad o el derroche.

Sus impulsos subjetivos sostenidos por ondas sentimentales potentes, le permiten echar mano a una estrategia del corazón particularmente rica y creadora.

Puente: 2

Puede utilizar sus dones de escucha y de intuición para ayudar al otro con benevolencia y amor, para ponerse al servicio de los otros sin dejarse tentar por la manipulación afectiva.

7 en la Casa 8

La Casa del poder y de la fuerza está ocupada por el representante de las grandes "P": Profesor, Programa, Perfección, Prédica, etcétera.

Toda la realización material se va a hacer a través de una búsqueda de dominación de los pensamientos y de los conocimientos espirituales e intelectuales. La persona parece favorecer la reflexión a la acción.

Escribe libros sobre la estrategia de los otros, pero no se zambulle en la acción, dejando los hechos en manos de los demás. Esta combinación es potente y corresponde a una gran fuerza de carácter.

Si domina los reflejos de autodestrucción, la persona puede lanzarse a grandes estudios e imponerse por sus teorías serias y sus enseñanzas profundas.

Una gran exigencia personal la impulsa a un empeño sin fallas, al servicio de las ideas que elabora y promueve.

Se muestra como un ser defensor de una cierta visión del mundo, que generalmente considera como la única buena.

Puede llegar a cumbres muy elevadas, a condición de dominar su angustia metafísica o un pesimismo destructor.

Debe estar muy atento de no caer en la intolerancia, el fanatismo político, religioso o científico.

Le podemos aconsejar menos rigidez o crispación para que fluya su energía interior, para iluminar su cuerpo y su corazón.

Puente: 1

Se invita a esta persona a reencontrar sus impulsos de juventud a nivel del corazón y de la mente, para dejar surgir nuevas corrientes y permitir al pionero (1) vivificar al viejo profesor (7).

8 en la Casa 8

Tenemos un *doublet*. Los componentes están vigorizados y las potencialidades aparecen de un modo más fuerte.

Todo el poder de la preservación material se va a realizar de una forma estratégica y audaz.

La persona alcanza un nivel destacado en su avance personal y su progresión social, gracias a una gran combatividad, una inteligencia muy viva y un voluntarismo bien determinado.

Nada la asusta. Al contrario, la lucha la estimula y la impulsa a ir más lejos.

Es enérgica, autodisciplinada, tenaz y se puede hacer cargo de las misiones más difíciles.

No le faltan la resistencia y ni el coraje; su gran motor también es su mente.

Una gran voluntad de triunfar, acompañada de un sólido sentido de la organización, le dan una eficacia máxima.

En los negocios, no tiene en cuenta los sentimientos. Debe alcanzar sus objetivos a cualquier precio.

Por todo esto, este "superman" o esta "superwoman" deben aprender a suavizar sus contactos con los demás, sus colegas de trabajo, sus compañeros de vida.

Deben estar atentos también a no dejarse llevar por la impaciencia y la violencia, y tener mucho cuidado de no confundir la fuerza de carácter con la testarudez, el ardor con la falta de tacto, el coraje con la brutalidad.

9 en la Casa 8

Los impulsos universales de apertura humanista y espiritual amplían los horizontes de la potencia de realización y de la búsqueda de estatus social.

Las cualidades humanitarias, sociales e intuitivas se expanden más allá de las fronteras geográficas y mentales. La persona desea impregnarse de sus ideales hasta el final.

Su camino puede estar sujeto a altibajos, y sus proyectos –a menudo anticonvencionales– están marcados por sus emociones y pasiones. Puede ser calificada de "utópica" por ciertas personas y otras pueden ver en ella la proyección del futuro.

Frente a una combinación así, nadie permanece indiferente.

Su evolución parece luminosa, pero los riesgos de cegarse con sus sueños y quedarse hipotecada en su imaginación pueden surgir a cada momento.

Debe intentar limpiar regularmente su visión sobre la vida y "desempañar" sus gafas personales, para actuar de un modo equilibrado, tal como la levadura, en la gran masa cultural, social y espiritual.

Esta combinación del 8 y del 9 es muy rara, pero de un nivel muy elevado.

Puente: 1

Debe desarrollar la iniciativa personal, la invención para concretar sueños demasiado imaginarios y bajar sus pies a la tierra.

La Casa 9

Describe:

- El ámbito de conciencia universal y la conexión cósmica.
- La visión de lo social, lo humanitario y colectivo.
- El servicio y la compasión.
- El universo del inconsciente.
- La comprensión del mundo simbólico e imaginario.

0 en la Casa 9

La Casa 9 está aparentemente vacía, pero si se encuentra la llave, este espacio lleno de promesas se puede iluminar con un gran Sol, poco presente al principio de la vida.

Todo va a depender de la progresión iniciática de la persona, de las energías que tiene, de sus elecciones y del modo de encontrar la llave de esta puerta, favoreciendo el cambio y la evolución en su vida.

Por esencia, el 9 trae el cambio y prepara el renacimiento. Es decir, marca el momento de inventariar, de hacer un balance que nos permita desprendernos de lo superfluo, de lo innecesario, de lo viejo, para dejar lugar a la siembra de nuevos aspectos.

Debemos mirar si el 9 se encuentra en otros lugares del Tema. Si no se encuentra en lugares importantes como: Camino de Vida, Alma, Personalidad, Iniciación Espiritual o Misión, significa que la persona ya lo ha trabajado en vidas anteriores. No es más una prioridad iniciática en esta vida.

Si, por el contrario, lo encontramos en puntos importantes del Tema, significa que la iniciación debe pasar por esas puertas.

La persona está invitada a vivir la apertura a los problemas de los otros. Debe desarrollar su sensibilidad a la escucha del mundo, del cosmos, y debe favorecer la expansión de su pequeño horizonte personal, un poco limitado.

Es responsable de alimentar su propia luz interior, llena de fe, esperanza y amor universal, permitiendo a sus impulsos humanitarios desinteresados y a sus deseos de edificación colectiva hacer finalmente eclosión.

1 en la Casa 9

Los grandes espacios humanitarios están ocupados por la preocupación de imponerse en primera línea y de ser reconocido.

Todo el potencial de apertura universal, de riqueza sensible y de irradiación altruista se va a realizar con voluntad, coraje, pero también con individualismo y con la necesidad de complacer y de ordenar.

La persona puede actuar algunas veces con actitudes pretenciosas, buscando sobre todo su valoración personal.

Puede muy bien utilizar su creatividad y su iniciativa para desarrollar proyectos de ayuda; cuando se pone en marcha, necesita actuar sola sin ser obstaculizada.

Puede tener problemas de integración a movilizaciones colectivas por sus impulsos demasiado entusiastas, valientes y pioneros.

Presta atención a sus estímulos del momento y puede escoger ayudar a la gente más necesitada de la otra parte del mundo; pero quiere hacerlo sola, a su manera, sin que le dicten sus acciones.

Con esta combinación complementaria, simétrica (en relación al 5), debe saber conciliar el deseo de lanzarse, de afirmarse, obteniendo el reconocimiento de los demás, con la necesidad de comprenderlos para poder ayudarlos verdaderamente.

Cuando logre alcanzar un equilibrio entre sus deseos un poco narcisistas y la escucha interior a las necesidades de los otros, su energía será más fluida y más disponible, en función de los demás.

Tiene a su disposición grandes capacidades de precursor intuitivo. Debe desarrollar sus aptitudes y canalizar las riquezas de los mensajes universales hacia los otros.

En la medida en que sepa vivir cada momento de su vida en armonía consigo misma, podrá dar su contribución personal y única al mundo en evolución.

Es amándose a sí misma, que podrá amar a los demás.

Puente: 8

Se invita a la persona a realizar, en primer lugar, un trabajo consigo misma, para vencer el miedo de lanzarse y concretar sus proyectos.

En efecto, puede tener dificultades en finalizar los proyectos que emprende, debido a las decepciones en el camino.

Debe desarrollar:

- una buena estrategia para escuchar los signos sutiles,
- un modo de andar sin concesiones y
- más claridad, afinando su sentido de la justicia.

2 en la Casa 9

Los espacios de la búsqueda de la verdad, de la apertura humanista y del altruismo evolutivo se ven aquí coloreados por un camino ambivalente, hecho de impulsos llenos de dulzura y delicadeza.

El 2 propone manejar su relación con el mundo colectivo de un modo bondadoso y pacífico, utilizando al máximo sus capacidades de escucha y sus dones de receptividad y de intuición.

La persona busca un mundo de fraternidad y de armonía, donde el amor universal permita fecundar una creatividad intuitiva y fina.

Sueña con una sociedad ideal, donde la conciencia del corazón se asocie al conocimiento mental; donde la integración de valores femeninos y receptivos permitirá el desarrollo y la evolución de la riqueza interior de todos.

Un camino que privilegia el afecto, manejado por emociones fluctuantes.

Esta combinación del 2 y del 9 es romántica y llena de poesía.

La persona tiene la posibilidad de captar ambos aspectos de una situación o de un problema, lo que la hace una buena mediadora o consejera, en su modo de actuar discreto y sutil.

Sin embargo, con su deseo de consagrarse a los otros, puede verse dividido en la tirantez de una toma de posición clara. Sus deseos de ayuda pueden, así, carecer de eficacia y rapidez.

Su mundo imaginario es muy rico, y sus mensajes profundamente reveladores; dado que capta las ondas cósmicas y puede vincularse fácilmente a los arquetipos esenciales.

Puente: 7

Este puente invita a obtener más claridad y mayor definición en los cuadros mentales, en definitiva a una gran toma de conciencia.

La búsqueda interior puede ayudar a esta persona a no tener que pedir consejo o ayuda a los otros, afirmándose así en sus posiciones.

3 en la Casa 9

La Casa de la búsqueda humanista, del camino humanitario y de la evolución colectiva está ocupada por impulsos creativos, junto a un gran deseo de comunicación e intercambios.

La persona intenta desarrollar su camino altruista con originalidad, encanto y buen humor.

Muy sociable y cómoda en sus relaciones humanas, tiene reales dones de animación. Sabe crear un ambiente de alegría y de fiesta.

Es imaginativa y flexible, necesita expresar su generosidad en un tono fresco y original.

Ayuda y consuela, pero quiere ser reconocida por los otros. Necesita felicitaciones y aplausos de su público.

Puede tener, a veces, tendencia a la dispersión y a la superficialidad debido a una búsqueda excesiva de ideales inaccesibles.

La persona está invitada a recuperar en sí misma al niño espontáneo y natural, lleno de vida y de amor, para liberar su fuerza creadora y hacerla irradiar.

Su creatividad le permite renacer permanentemente de sí misma y encontrar su identidad, en el seno de lo colectivo.

Finalmente, tiene la posibilidad de utilizar sus capacidades literarias, su palabra fácil y sus dones artísticos, para hacer crecer sus acciones humanitarias.

Puente: 6

Este puente indica que puede orientarse hacia la responsabilidad en el seno de su propia familia, antes que ir en pos de un servicio más amplio para la comunidad.

Necesita el cariño de su entorno cercano y de sus seres queridos.

Debe cultivar también, los valores del 6, que son: tolerancia, benevolencia y estabilidad receptiva.

Ofreciendo desde el fondo de su corazón ternura, calidez y dando bienestar a los demás, va a poder encontrar y vivir sus sueños, así como sus ideales de universalidad y de amor.

4 en la Casa 9

El sector de lo humanitario, de lo universal y de lo colectivo está ocupado por la preocupación del trabajo bien hecho, de la organización útil y concreta y de un gran sentido del deber.

La propuesta es manejar este campo de un modo preciso, serio, sin olvidar los detalles.

Todo eso apoyado en bases sólidas, con estructuras tradicionales y dando seguridad. La persona está invitada a desarrollar la paciencia y la tenacidad en lo que considera como su misión, o su vocación.

Esta combinación del 4 y del 9 concierne, por lo general, a los trabajadores sociales, asistentes sociales, educadores, orientadores, personas que inconscientemente compensan, a través de su trabajo, una falta de seguridad material o afectiva sufrida durante la infancia.

Se sienten culpables de haber sido una "carga" para sus padres, por lo que quieren hacerse cargo de los otros.

Así como fueron limitadas en el pasado, en el presente quieren compensar, cuidando a los demás sin límites.

Al no ser reconocidas en su infancia, desean ser reconocidas por el grupo social o la gente a la que ayudan.

Dado que fueron condicionadas en su expresión por sus educadores, ahora toman la posta y son ellas las que quieren hablar para defender y ayudar a los otros.

Asistimos a una valoración del pasado que el ser quiere superar. La persona se consagra a su trabajo con puntualidad, constancia y sentido de la disciplina.

Normalmente, no se deja influenciar por los grandes ideales, debido a su preocupación por las obligaciones terrenales y por las carencias de los necesitados.

Su preocupación de hacer las cosas bien y a fondo, la torna muy meticulosa con la ética y la integridad de cada uno.

Está ocupada por un gran ideal de fidelidad y honestidad; se siente orgullosa de su notoria rectitud.

Pero, no debe olvidarse de aprender a sentir la verdadera compasión, a abrirse con confianza al diálogo interior, para permitir que las riquezas de su corazón y de su espíritu salgan al exterior.

Puente: 5

La tensión dinamizante es importante y se propone a la persona no dudar en ir "en busca de otros aires", a liberarse de un deseo de asentamiento excesivo o de una resistencia inhibitoria al cambio.

En realidad, debe aceptar los riesgos o los desafíos que le van a permitir ir al encuentro de las personas o del mundo que la necesitan.

5 en la Casa 9

El campo del humanismo y del conocimiento universal está ocupado por impulsos de independencia y de libertad, por la búsqueda de experiencias nuevas, por una tendencia al movimiento perpetuo.

La propuesta es de administrar este sector de un modo móvil y renovador, sin dudar en aventurarse afuera de sus fronteras de conciencia.

La persona está invitada a tomar riesgos, a explorar el mundo que la rodea y a vivir las experiencias de la vida en total plenitud.

Debe desarrollar su libre albedrío y lanzarse, a veces, fuera de las normas sociales clásicas.

Debe utilizar sus facultades para vehiculizar las ideas nuevas y liberadoras, para volverse una progresista sabia. Puede lograr esto por medio de los viajes formativos y de los contactos múltiples, que le permitan generar una conciencia más amplia y la liberación del espíritu.

La persona sabe convencer para defender sus ideas y sus creencias. Puede poner toda su energía, aun la física, al servicio de sus ideales. Capacitada para realizar acciones extraordinarias, puede consagrarse a ellas totalmente.

Puede cambiar a menudo de ideas, o perseguir varios objetivos al mismo tiempo. Por eso, debe aprender a organizar sus prioridades. Si no logra centrarse en sí misma, puede caer en un hiperactivismo y hasta en una bulimia de experiencias.

Tiene "antenas" que le permiten evaluar a las personas, a las situaciones en un "santiamén".

La imaginación y la apertura de espíritu forman parte de sus cualidades.

Pero, con tanta efervescencia mental y vital, puede vivir con demasiado nerviosismo interior. Si su mente no alcanza a controlar sus emociones, puede ser muy impaciente y susceptible.

La mezcla del 9, que es el amor universal, con el 5, que es apertura de mente y manifestación de la energía sexual, nos recuerda que las energías espirituales y sexuales pueden relacionarse y constituir un modo de expresar lo divino a través de una relación de amor consigo mismo y con los otros.

Puente: 4

Este Puente Iniciático invita a ocuparnos más de los detalles materiales, de aceptar tareas regulares eficaces, de utilizar métodos para avanzar de un modo más disciplinado y riguroso.

6 en la Casa 9

La Casa del altruismo, de la intuición, de los grandes ideales, está ocupada por una búsqueda de armonía, de confort y de ternura.

Los impulsos del corazón están al servicio de las aspiraciones espirituales.

En esta combinación, los sentimientos de amor aparecen para aliviar los dolores. Las palabras tiernas están impregnadas de sensibilidad y de encanto con el 6 dando su mano al 9.

La persona avanza en la vida de un modo flexible, con un sentido relacional rico y colorido. Su búsqueda de ideal pasa por la calidad de los intercambios. Necesita dar y recibir gestos tiernos, sensaciones de dulzura y generosidad gratuita.

Espera hacer producir sus conocimientos y su visión holística del mundo con los impulsos fecundos de su imaginario, las intuiciones luminosas de su corazón o de su cuerpo.

Tiene el sentido de gesto justo y del "tocar" para reconfortar, procurando calma y bienestar. Puede aliviar y disolver muchas incomodidades.

Su presencia en el seno de una familia o de un grupo es un verdadero regalo porque quiere progresar a través del servicio y del amor. Le gustan los intercambios profundos y auténticos, que van directo al corazón.

Quiere ayudar y curar a los otros, principalmente por el amor que le brindan. Esta curación pasa por las manos, directamente relacionadas con el corazón, con sus impulsos, con sus pulsaciones más puras, más profundas.

Si se deja guiar por su intuición profunda, por su voz interior, puede dar lo mejor de sí misma.

Pero, tiene el riesgo de sufrir a nivel emocional, por dar demasiado. Y aquí cabría preguntarse si ese brindarse tanto, a través del amor incondicional, no será un fervoroso intento de saciar su propia sed de ser amada.

Jacques Salomé dice: "Yo regalo en abundancia, lo que quiero sobre todo recibir".

Finalmente, la persona debe manejar sus impulsos de servicio y de amor, sin perderse en las demandas de los otros.

Por otra parte, su sentido estético, su sensibilidad a la belleza de las cosas y de los seres le dan la posibilidad de "ser canal" de grandes mensajes universales.

Por su calor y su creatividad original, puede hacer maravillas. Puede utilizar sus dones para la escultura, el grafismo, la danza, el cine o la fotografía.

Su amor a la belleza se asocia a su generosidad y su espontaneidad, para crear un gran jardín de amor universal.

Esta combinación del 6 y del 9 nos hace preguntarnos: en esta época de conquistas tecnológicas, ¿en qué punto estamos con respecto a los descubrimientos de nuestros soles internos y del encuentro con nuestras estrellas espirituales?

Puente: 3

Dejar fluir toda la creatividad, así como el canal de comunicación con los otros.

7 en la Casa 9

La Casa del humanismo, de la apertura altruista y de la visión universal está ocupada por la búsqueda de reflexión interior o por la toma de conciencia espiritual.

La propuesta es administrar este campo de un modo estructurado, privilegiando la meditación personal, la disciplina mental y la adquisición de conocimientos filosóficos o psicológicos. La persona se ve incitada a cultivar al máximo sus facultades cerebrales, sus cualidades de interiorización y sus posibilidades espirituales y místicas.

Debe desarrollar su mente en beneficio del conocimiento y de los consejos de su Ser superior.

Debe utilizar su mente para acceder a los mensajes del espíritu universal, para entender y transmitir los secretos más profundos del hombre y del mundo que lo rodea.

La persona busca explicaciones a todo. Su vida interior está ocupada por abstracciones y razonamientos y le gusta descifrar los símbolos, clasificarlos y ponerlos en orden.

Necesita un marco mental y espiritual que le dé seguridad, así como una estructura sobre la que pueda evolucionar manteniendo ciertas pautas en su vida y en sus acciones.

Es altruista y le gusta planificar programas de ayuda humanitaria, como si necesitara expiar una vieja culpa, herencia de sus ancestros o de la relación con su educación.

Sus creencias son una poderosa plataforma de identidad, que le permiten jugar un papel de educador e iniciador, que disfruta particularmente.

Finalmente, si confía en la energía cósmica que le da la vida, puede acceder a una gran apertura mística y a un elevado nivel de conciencia.

Puente: 2

La propuesta es escuchar sus emociones, abrirse a su Ser profundo, aceptar la ternura de los otros.

Más disponibilidad y bondad serán también bienvenidas.

8 en la Casa 9

La Casa del altruismo y del humanismo está ocupada por impulsos generosos y ambiciosos, junto a una búsqueda de absoluto y del ideal espiritual.

Este campo se vive con madurez, integridad, energía y presión. El ser está invitado a implicarse totalmente en su camino y a desarrollar una potente estrategia personal.

Inspira confianza y su fuerte deseo de lograr lo que se propone, provoca la impresión de un ser excepcional.

Es capaz de captar los potenciales de los seres y puede así ayudarlos a despertar y evidenciar aptitudes escondidas.

Cuando ha logrado vencer sus propias batallas internas y cuando ha afinado su conciencia, puede volverse disponible para los otros y ser un canal de prosperidad, en resonancia con el canal universal.

La persona se concentra en la búsqueda de dominación interior, combatiendo en el terreno espiritual y encontrando su poder en su capacidad de traducir y utilizar las fuerzas del inconsciente y la riqueza del imaginario.

Tiene facilidad para entusiasmarse con causas humanitarias, para actuar rápidamente y para encontrar nuevos caminos, muchas veces de avanzada.

Decidido y fuerte –en lo que considera como su misión personal–, se compromete en cuerpo y alma en su camino, que aparece muchas veces como una cruzada apasionada.

Por defender sus verdades sin hacer concesiones, parece duro e implacable a veces.

Este "tigre de gran señorío" avanza sin compromisos y no soporta ser controlado o puesto en una jaula. Pero detrás de su coraza de héroe, se esconde un ser sensible y abierto. La emotividad habita detrás de las murallas fuertes y antiguas.

Puente: 1

La propuesta es:

- Seleccionar la dirección precisa y permanecer firme en ésta.
- Progresar de modo autónomo y contar sólo consigo mismo, al mismo tiempo que integrar lo colectivo.
- Evolucionar interiormente sin dudar de sí y sin soñar.
- Si sabe escucharse a sí mismo, puede ver lejos en el tiempo y el espacio.
- Desarrollando su sentido de iniciativa y la confianza en sí mismo, va a saber concretizar sus aspiraciones y sus proyectos liberadores.

9 en la Casa 9

Tenemos un *doublet*. Los componentes del 9 están reforzados. La persona actúa con sus potencialidades altruistas de un modo muy idealista y anticonformista. Avanza en medio de grandes conocimientos universales, con sensibilidad y emoción.

Su búsqueda de la Verdad se hace con pasión e intuición.

Sus amplios espacios interiores están llenos de promesas y riquezas sutiles, pero debe evitar caer en la trampa del imaginario.

Debe aprender a discriminar la frontera entre el realismo y la ilusión.

Evitar perderse navegando sobre el océano de sus sueños, ya que su nerviosismo interior y sus excesos emocionales corren el riesgo de llevarlo, si no mantiene firme el timón, hacia situaciones que no corresponden a su ideal profundo.

Puede sacrificarse sin límites –al punto de permitir que los otros se aprovechen de ella–, lo que no beneficia a nadie.

En realidad, debe aprender a trabajar sobre sí misma para cultivar la calma y la serenidad en su camino altruista y su apertura humanista.

También, deberá aprender a manejar sus energías para no gastarlas inútilmente.

Camina fuera de los límites habituales y puede tener tendencia a evadirse de la realidad. Por ahora está viviendo sobre la tierra y debe aceptar estas reglas sociales y materiales.

Dado que vive en permanente contacto con nuevas corrientes de pensamiento, está disponible para participar en una nueva expansión de la evolución espiritual del hombre.

Finalmente, trabajando para la armonía colectiva y preparando la verdadera hermandad, vibra en concordancia con todo el universo y recibe los mejores impulsos del cosmos. Se vuelve un canal, un transmisor de las energías celestiales, permitiendo así relacionar al hombre con el cosmos.

- III -
INDUCCIÓN

*Soy capaz de hacer mucho
cuando permanezco abierto a
las más bellas cualidades de mi alma.
Realizo tareas enormes con facilidad y éxito.*

Antes de abordar la explicación de la Inducción, me gustaría utilizar una comparación que nos va a ayudar a captar el interés de esta nueva etapa.

Pensemos que estamos en un teatro para asistir a una representación; los personajes que van a actuar son los Habitantes de la Inclusión de Base. Los vamos a ver moverse, hablar, actuar entre ellos, exactamente como ocurre en la vida del castillo que propusimos como ejemplo para el manejo de la Inclusión.

Al igual que en el teatro, no todo ocurre en el escenario; por detrás y entre bastidores transcurre una vida intensa pero secreta, que corresponde en realidad a la verdadera identidad de los actores.

De la misma manera, la Inducción nos va a permitir –como si nos metiéramos en los camerinos– ver lo que se esconde detrás del "ropaje" de los Habitantes de la Inclusión de Base, los cuales al igual que los actores no siempre son lo que parecen.

Así la Inducción puede ser comparada a un zoom o a una lupa, que nos lleva a niveles más profundos para ver lo que pasa detrás de cada Habitante.

Este método nos va a ayudar a percibir de manera más fina y aguda las verdaderas características del Habitante.

Nos referimos nuevamente a la Inclusión de Base de María Carolina. Tenemos en la Casa 1 un Habitante 6 y vimos que el Habitante de la Casa 6 es un 1, lo que nos permite interpretar su 6 matizado por el 1; esto se traduce en que María Carolina vive su identidad a través del servicio, del dar y del amor, pero con una actitud protectora donde es ella quien toma siempre la iniciativa, manipulando a los otros a fin de ser amada y reconocida.

Si, en cambio, analizando otro Tema encontráramos el mismo Habitante 6 en la Casa 1, pero con Habitante 2 en la Casa 6, estaríamos en presencia de un Habitante 6 matizado esta vez por el 2, lo que significaría que el modo de vivir la identidad o el ego de la Casa 1 se haría con sensibilidad, escucha, intuición o tal vez inseguridad.

Esto se va a clarificar a través de la construcción práctica de la Inducción de María Carolina. Volveremos a utilizar una metáfora para poder graficar de forma más comprensible los tres niveles que deben ser considerados al momento de la Inducción.

Cuando un paciente visita el consultorio de su médico, se va a someter a una serie de análisis que habilitarán al profesional para llegar a un diagnóstico más preciso y por lo tanto más adecuado.

La primera instancia sería el reconocimiento clínico, donde cuentan los síntomas físicos visibles; una segunda etapa –destinada a afinar la información– sería una radiografía y, por último, una tomografía computada permitiría llegar hasta un tercer nivel más profundo.

CASAS	1	2	3	4	5	6	7	8	9
HABITANTES	6	☀	3	1	3	1	2☀	1	7
INDUCCIÓN									
Primer Nivel	1	☀	3	6	3	6	☀	6	2
Segundo Nivel	6	☀	3	1	3	1	☀	1	☀
Tercer Nivel	1	☀	3	6	3	6	☀	6	☀

Para definir el 6 de la Casa 1 vamos a ir a los tres niveles que mencionábamos más arriba y para ayudarnos nos haremos las siguientes preguntas:

¿Quién ocupa la Casa 6? Vemos que es un 1 (Primer nivel).
A continuación:
¿Quién vive en la Casa 1? Vemos que es un 6 (Segundo Nivel).
Y por último:
¿Quién vive en la Casa 6? Vemos que es un 1 (Tercer Nivel).

En este caso particular, la información que obtenemos se repite y no es muy variada, debido precisamente a lo que llamamos un "intercambio" de Habitantes entre el 6 y el 1. Siempre detrás del 6 va a haber un 1 y, a su vez, detrás de un 1 vamos a tener siempre un 6.

Continuamos con la Casa 2; el Habitante es un Sol y esto hace que ese Sol se repita en los otros niveles. Lo que confirma la necesidad de trabajar más este aspecto del 2.

Debemos destacar que si encontramos Soles en cualquier Casa, éstos siempre van a aparecer en los tres niveles siguientes.

Frente a la pregunta ¿dónde hay otro 2? Lo encontramos en la Casa 7, pero aquí con la particularidad de que este 2, marcado por el Sol a su lado, va dar como resultado Soles en los tres niveles.

Esta información permite una doble lectura: el hecho de que el 2 tenga Soles atrás señala la necesidad de consolidar un camino mental y espiritual, el cual podría contribuir a la vez a lograr una mayor autoestima, levantando el Sol de la Casa 2.

Es decir, el problema de los Soles se puede resolver indistintamente desde cualquiera de las dos áreas consideradas, gracias a una reacción en cadena: en la medida en que yo me acepto y me amo a mí mismo (Casa 2), voy a ser capaz de recibir sin miedo a nivel espiritual (Casa 7); o bien fortaleciendo mi vida interior e espiritual (Casa 7), voy a aprender a amarme más y a aumentar mi autoestima (Casa 2).

Para conocer más los matices del Habitante 7 de la Casa 9, podemos hacer la siguiente pregunta: ¿Quién vive en la Casa 7? Un 2 con Sol al lado, seguido igualmente por otros Soles.

¿Qué significa esto? Que detrás del deseo de servir, de ayudar (Casa 9), con conocimientos que pueden permanecer a nivel mental por el Habitante 7, tenemos un potencial de sensibilidad, de dulzura y de intuición dado por el 2 que suaviza la rigidez del 7, sobre todo cuando María Carolina haya logrado resolver los aspectos de su Sol en la Casa 2.

Esto nos retrotrae a la imagen de los actores de teatro: este 7 en la Casa 9, caracterizado como un "personaje" intelectual, rígido y frío, no es tal, ya que visto entre bambalinas vemos que posee una gran sensibilidad y una dulzura, que podrán emerger cuando María Carolina llene su Sol de luz.

Estamos ahora frente a la Inducción terminada y para analizarla correctamente y no perdernos en un mar de datos por separado, debemos focalizar nuestra atención en primer lugar sobre los Habitantes del Primer Nivel, que nos proporcionan las informaciones más relevantes.

Luego, observar en qué áreas hay Soles y dónde repercute su efecto, y por eso referirse a la Inducción de las Casas 7 y 9.

A continuación hay que ver dónde aparecen Habitantes en su Casa y dónde afectan otros aspectos:

En la Casa 3 encontramos el Habitante 3, es decir está "en Casa"; es inútil, por lo tanto, ir a buscarlo en otros lugares. Siempre que el Habitante se encuentre en su propio lugar, como en este caso, se va a repetir en los niveles siguientes, indicándonos también la importancia de su mensaje.

¿Dónde más hay un Habitante 3? Vemos que lo encontramos en la Casa 5, y si le aplicamos la pregunta para detectar los tres niveles más profundos: ¿quién ocupa la Casa 3?, la respuesta siempre va a ser un 3 repetido.

Al ir a las Casas 4, 6 y 8 donde tenemos el mismo Habitante 1, nos planteamos las preguntas de los tres niveles:

¿Quién vive en la Casa1? un Habitante 6.
¿Quién vive en la Casa 6? un Habitante 1.
¿Quién vive en la Casa 1? un Habitante 6.

Y llegamos a la siguiente conclusión: para que María Carolina pueda afirmar sus raíces en la tierra (Casa 4) o concretar sus talentos

(Casa 8) deberá hacerlo a través de su ternura, de su capacidad de amor y de su sensibilidad (características del 6).

Nos habla también de una forma autónoma de brindarse en su relación con los demás (Casa 6) pero siempre cargada de emotividad.

Si hacemos el balance de la Inducción, debemos tomar en cuenta lo que se repite, sea por ausencia (Soles) o por exceso (número repetido), ya que esto está indicando los puntos álgidos del Tema y sobre los que necesariamente hay que trabajar.

En este caso, salta a la vista que los números que se repiten son el 6, el 3 y el 1, confirmando que hay un enorme potencial de creatividad a través de la repetición de 3 y del 6 (2 veces 3), del cual es imposible escaparse, ya que su vida y su identidad tendrían que pasar por la expresión, los contactos humanos y el don creativo para desarrollarse plenamente.

A su vez, no debemos olvidar que un Tema Numerológico se analiza de forma global y dinámica, por lo que es importante, en este momento, ver si hay presencia de otros 3 o 6 en zonas de peso como las Áreas Claves o los Ciclos de Vida. Si encontrásemos un Alma 3, o una Personalidad 6, el mensaje estaría doblemente sugerido como de vital importancia en la vida de esa persona.

Para entender mejor la utilidad de los niveles de la Inducción, analizaremos otro caso donde no hay Soles:

CASAS	1	2	3	4	5	6	7	8	9
HABITANTES	6	2	4	1	8	3	1	1	4
INDUCCIÓN									
Primer Nivel	3	2	1	6	1	4	6	6	1
Segundo Nivel	4	2	6	3	6	1	3	3	6
Tercer Nivel	1	2	3	4	3	6	4	4	3

¿Qué nuevas informaciones nos da esta Inducción? La repetición de los 6 que están detrás del 1: Casas 4, 7 y 8 confirmando el 6 de la Casa 1.

Eso indica que esta persona necesita dar y servir, manifestar su ternura y el amor hacia los demás en los aspectos del trabajo (Casa 4), del camino espiritual y mental (Casa 7) y en la manifestación de sus talentos (Casa 8)

Descubrimos también en esta Inducción la presencia de los 3 que aparecen en una sola Casa en la Inclusión de Base y sin embargo se repiten más de una vez. Esto está informándonos del potencial de creatividad que yace escondido en la Casa 3, a pesar de su Habitante 4 que puede estar representando miedos y limitaciones.

El 2 "en su Casa" es –como dijimos– un *doublet*, pero también puede significar una vivencia inversa de las características del 2; en este caso: duda, falta de confianza y complejos de inferioridad.

Para que entiendan todavía mejor el mecanismo y las ventajas de la Inducción, vamos a proponer dos ejemplos más, relacionándolos esta vez con ciertas Áreas Claves:

Primer Caso

CASAS	1	2	3	4	5	6	7	8	9
HABITANTES	5	2	6☼	1	5	☼	1	2	4
INDUCCIÓN	5	2	☼	5	5	☼	5	2	1
	5	2	☼	5	5	☼	5	2	5
	5	2	☼	5	5	☼	5	2	5

Observemos quiénes son los Habitantes que están en su lugar. El primero que encontramos en esta situación es el 2 y lo vamos a encontrar nuevamente en la Casa 8. Ya sabemos, entonces, que siempre que aparezca un 2 va a estar seguido de otros 2. En este caso, esto podría significar una gran sensibilidad e intuición en el manejo de la emoción (Casa 2), así como en la manifestación de los talentos (Casa 8).

Luego, encontramos otro Habitante en "su Casa" que es el 5 y nuevamente lo vamos encontrar en la Casa 1. Nos confirma la fuerza del ego y la capacidad de afirmación con audacia y una gran necesidad de libertad debido al *doublet*.

El Sol de la Casa 6, que puede significar inseguridad afectiva y miedo al abandono, va a estar seguido por otros Soles. Por lo tanto, para el 6 de la Casa 3, cuando planteamos la pregunta: ¿quién ocupa la Casa 6?, la respuesta es un Sol, y esto implica que va a estar seguido, igualmente, por otros Soles.

Esto podría estar señalando un gran poder de creatividad y de relacionamiento humano, pero inhibido por miedos o inseguridad.

Si queremos saber qué hay detrás del Habitante 1 de las Casas 4 y 8, hacemos de nuevo la pregunta: ¿quién vive en la Casa 1?, un 5, seguido por otros 5, dado que el 5 está en su lugar.

Esto nos indica la fuerza del 1, que funciona apoyado por un deseo constante de aceptar desafíos y con cierta búsqueda en el campo profesional (Casa 4) o en el gerenciamiento de sus energías a la hora de concretar emprendimientos (Casa 8).

Para saber qué pasa detrás del Habitante 4 de la Casa 9, nos hacemos las siguientes preguntas:

¿Quién ocupa la Casa 4?, un Habitante 1.

¿Quién ocupa la Casa 1?, un Habitante 5 y detrás de este 5, tenemos otro 5.

Esto nos indica que la persona quiere ayudar de un modo concreto y práctico (Habitante 4) pero que, por detrás, está animada por energías impetuosas como son las del 1 y del 5.

Al momento de hacer el balance de esta Inducción, lo que sobresale es la presencia de muchos 5, que aparecen en muchos más lugares que en la Inclusión de Base.

Esto pone de manifiesto una gran energía vital en casi todas las áreas.

A su vez los 2 también aparecen repetidos y podrían demostrar una fina sensibilidad y una intuición aguda, pero que, igualmente, pueden esconder una falta de confianza en sí, confirmada por la presencia de Soles en las Casas 6 y 3.

Esto focaliza la necesidad de trabajar el aspecto creativo y relacional con los demás para llenar de luz esos puntos, lo que permitirá a su vez vivir los valores del 2 en toda su dimensión.

Tomemos ahora otro ejemplo, para que podamos ver como un solo Sol puede afectar casi todo un Tema:

Segundo Caso

CASAS	1	2	3	4	5	6	7	8	9
HABITANTES	2	☀	5	1	2	3	1	1	6
INDUCCIÓN	☀	☀	2	2		5	2	2	3
	☀	☀	☀	☀	☀	2	☀	☀	5
	☀	☀	☀	☀	☀	☀	☀	☀	2

Lo primero que observamos es que ningún Habitante está "en su Casa" y que tenemos un Sol en la Casa 2.

Ya sabemos que el Sol de la Casa 2 va a estar seguido de Soles. Igualmente para los Habitantes 2 de las Casas 1 y 5, si nos hacemos la pregunta: ¿quién vive en la Casa 2?, vamos a encontrar un Sol seguido por otros Soles.

Ahora bien, si queremos averiguar que hay detrás de los Habitantes 1, planteamos las preguntas siguientes:

¿Quién vive en la Casa 1?, un 2 con Sol.

¿Quién ocupa la Casa 2?, un Sol seguido de otros Soles.

Entonces llenamos la Inducción de las Casas 4 y 8 con un 2 seguido por Soles.

¿Qué pasa en la Casa 3 con su Habitante 5? Las mismas preguntas: ¿quién vive en la Casa 5?, un 2 con Sol, seguido por otros Soles.

¿Qué pasa detrás del Habitante 3 de la Casa 6?, vayamos a averiguar ¿quién ocupa la Casa 3?, un 5; ¿quién ocupa la Casa 5?, un 2 con Sol, seguido por otros Soles.

Finalmente, veamos ¿qué encontramos detrás del Habitante 6 de la Casa 9? Nuevamente las preguntas son:

¿Quién vive en la Casa 6?, un 3

¿Quién ocupa la Casa 3?, un 5

¿A quién encontramos en la Casa 5?, al 2 con Sol.

¿Cómo debiéramos interpretar globalmente esta Inducción? Vemos que todas las áreas de la Inducción se ven afectadas por el Sol de la Casa 2, lo que nos está demostrando cómo un solo Sol puede repetirse tanto en la Inducción, mientras que casi no marca presencia en los Habitantes de Base.

Esto nos ratifica, entonces, de un modo mucho más claro la urgencia de esta persona por trabajar los aspectos del 2, los cuales una vez resueltos van a poder llenar de luz y de potencial todos los Soles de la Inducción.

Pero ahora querría ilustrar el interés de la Inducción con dos ejemplos de cómo debemos relacionarla con las Áreas Claves, en particular con el Camino de Vida.

Supongamos que dos personas tienen un Camino de Vida 5. La primera que tiene un Habitante 5 "en su Casa", sostenido y apuntalado por muchos otros 5 en su Inducción, va a vivir su Camino de Vida de un modo lanzado, plagado de aventuras y riesgos, con cambios repentinos y un vehemente deseo de libertad.

En cambio, la segunda persona que tiene en la Casa 5 un Habitante 2 matizado por Soles detrás, ese mismo Camino de Vida 5 lo va a vivir –probablemente– totalmente al revés, lleno de miedos e inseguridades y con grandes dudas de si avanzar o no.

Para terminar de subrayar la importancia de este método, supongamos que las personas también tienen el mismo número de Alma 1, la cual a priori es un Alma fuerte con rasgos de líder. Pero antes de sacar conclusiones apresuradas, vayamos a ver qué pasa detrás de la Casa 1 de cada una de estas personas.

La primera tiene un Habitante 5 potencializado y sostenido por varios otros 5; en cambio, la otra tiene un Habitante 2 seguido por Soles. Se puede entender fácilmente que la interpretación para ambas va a ser netamente diferente: la primera tiene un alma potente, intrépida y arriesgada y la otra posee un Alma sensible, dulce, salpicada de dudas y titubeos y con problemas para hacerla aflorar.

Vemos de este modo que –para una lectura más completa y afinada– no sólo debemos relacionar las Áreas Claves con los Habitantes de Base sino también con la Inducción, planteándonos qué pasa detrás. Esto nos va a permitir captar realidades mucho más verdaderas y totalmente diferentes de lo que aparecen a primera vista.

Matices para cada Habitante

Vamos a ver en más detalle todas las posibilidades de la Inducción, analizando Habitante por Habitante.

El Habitante 1 de una Casa puede ser modulado o matizado por:

Un 1: las propuestas de autonomía, de independencia y liderazgo se encuentran reforzadas.

Un 2: la capacidad de dirigir o de afirmarse está matizada de emociones, de intuición, con la posibilidad de asociación con otra persona.

Un 3: los dones de creatividad y de expresión personal ayudan a la persona a afirmarse, tanto como la originalidad y la valorización de su propia imagen.

Un 4: la necesidad de seguridad, de organización, de manejo de lo concreto ayudan a la persona a consolidarse o a ser un líder reconocido.

Un 5: la movilidad, los cambios, los desafíos ayudan a la persona a afianzarse y a ser más autónoma.

Un 6: la dulzura, la ternura, el amor y la generosidad permiten un posicionamiento autónomo y con aspectos de liderazgo.

Un 7: el saber, la búsqueda espiritual y la toma de conciencia son las herramientas para abrir los caminos y llegar a ser independiente.

Un 8: la estrategia y las realizaciones personales favorecen la afirmación, al mismo tiempo que proporcionan una gran fuerza de carácter para hacerse reconocer por su potencial.

Un 9: la amplitud de una visión humanista, orientada al servicio, puede ayudar a fortalecer y a abrir senderos más vastos para los demás.

El Habitante 2 de una Casa puede ser modulado o matizado por:

Un 1: las emociones o la necesidad de asociarse con el otro, están matizadas por la energía masculina del 1 Yang, priorizando un accionar más mental y donde es más fácil dar que recibir. Podríamos decir que es un 2 Yin/Yang.

Un 2: la sensibilidad y la ternura están reforzadas, tanto como la capacidad de acogida y de escucha al otro, favoreciendo mucho las asociaciones en el área considerada.

Un 3: la fantasía y la expresión artística están presentes junto con un gran deseo de comunicación con los demás.

Un 4: el mundo de las emociones está frenado por la prudencia o los miedos y las asociaciones se hacen de un modo concreto y práctico, sin involucrarse demasiado.

Un 5: detrás de la sensibilidad y la vulnerabilidad, encontramos una gran necesidad de libertad, de experiencias nuevas, marcada por el "no conformismo" y el gusto por los desafíos.

Un 6: la emotividad, la dulzura y la actitud conciliadora están potencializadas por la calidez de los sentimientos, junto a una visión romántica y sensible de las cosas.

Un 7: la rigidez del 7, masculino e introvertido, va encubrir el manejo emocional, propiciando asociaciones a nivel intelectual o mental.

Un 8: detrás de las emociones encontramos un gran potencial que puede ser controlado o manifestado con violencia y que pertenece a la herencia femenina de la familia.

Un 9: una hipersensibilidad unida a grandes ideales sostienen el manejo de las emociones en el área considerada, junto con un deseo de abrirse al servicio humanitario y a la energía cósmica.

El Habitante 3 de una Casa puede ser modulado o matizado por:

Un 1:. la expresión personal y la relación con los demás se emprende de un modo afirmado e independiente. La persona prefiere estar sola para crear y manejar sus contactos.

Un 2: el poder creativo y el expresivo están coloreados por la sensibilidad y la intuición, pero tal vez pueden ser vividos con vacilación entre dos caminos posibles.

Un 3: los dones de creatividad y de expresión están reforzados, tanto como el deseo de ser reconocido y valorado por los demás.

Un 4: las capacidades de expresión se manifiestan de un modo concreto, y las actividades o el trabajo se vinculan con la comunicación en el terreno correspondiente.

Un 5: la creatividad y la comunicación se expresan de un modo libre, rápido, móvil, sin ataduras y con sorpresas.

Un 6: la comunicación y los contactos humanos se hacen a nivel del corazón y del calor humano. Hay una gran capacidad de belleza, de armonía y dones de expresión corporal.

Un 7: ofrece capacidades para conceptualizar la creatividad o los modos de comunicación y a la vez, un deseo de controlar su imagen social y sus relaciones humanas.

Un 8: hay una gran capacidad para expresar el potencial de realización en el aspecto considerado. La comunicación se manifiesta con fuerza y audacia, con el objetivo de lograr el reconocimiento y el brillo.

Un 9: la creatividad en el campo considerado se expresa fácilmente con los recursos del imaginario y del inconsciente, gracias a una gran facilidad para comprender el lenguaje simbólico.

El Habitante 4 de una Casa puede ser modulado o matizado por:

Un 1: el potencial de organización o de lo concreto se maneja de un modo afirmado, con la necesidad de trabajar independientemente o de dirigir las operaciones. ¿Tal vez reproduciendo el modelo Padre?

Un 2: para concretar obras o situaciones, la persona necesita sentirse apoyada o acompañada por otro. Manifiesta su potencial de realización a través de la intuición y de la sensibilidad, pero también con cierta dualidad. ¿Reproducción del modelo Madre?

Un 3: los aspectos concretos se matizan con fantasía, con creatividad, con el deseo de expresión, de participación con el grupo en la Casa considerada.

Un 4: la seriedad y la responsabilidad se afirman en el aspecto considerado, con una necesidad de planificación, de seguridad y de respeto por las tradiciones familiares.

Un 5: la improvisación y las novedades alimentan la necesidad de concretar, con un impulso de cambio en los procedimientos o las costumbres, que permite realizar varias actividades a la vez.

Un 6: hay una necesidad de seguridad o de protección en el área considerada, con deseos de llevar a cabo los proyectos con amor y calidez, y en lo posible, a través del tacto. En este caso las raíces familiares tienen un papel importante.

Un 7: las actividades están orientadas a la adquisición de conocimientos, a la investigación y el saber, con toques de perfección y de exigencia, junto con un gran respeto por las normas morales o culturales.

Un 8: la realización de lo concreto está acompañada de una gran fortaleza, y de una solidez que permiten muchas expectativas en el área considerada.

Un 9: el trabajo pasa por el servicio a los demás y se pueden concretar los ideales y la visión colectiva de las cosas.

El Habitante 5 de una Casa puede ser modulado o matizado por:

Un 1: las aventuras o los riesgos se viven de un modo afirmado y solitario. Las ideas nuevas son claras y firmes en el terreno considerado.

Un 2: hay aquí una posibilidad de gran adaptabilidad, de plasticidad en la relación con el otro. El 2 suaviza la impetuosidad del 5, otorgándole más paciencia y diplomacia.

Un 3: las ideas son originales y coloridas, con una amplia gama de creatividad y comunicación, pero también con riesgo de dispersarse en varios caminos a la vez, llevado por el ansia de seducir y ser reconocido.

Un 4: los riesgos y los proyectos audaces se encaran con prudencia y mesura, procurando sobretodo conocer de antemano las consecuencias, antes de embarcarse a fondo. Pero los cambios se llevan a cabo y las novedades se pueden gerenciar en pos de un buen aprovechamiento.

Un 5: el deseo de horizontes amplios, de búsqueda de experiencias nuevas está reforzado por otro "5" que puede aportar más energía y mayor intrepidez aún. Esto, unido a una capacidad mental difícil de calmar, hace imprescindible una mayor disciplina para "domar a este brioso caballo"

Un 6: el amor y el placer son los objetivos de los cambios o las nuevas búsquedas. A su vez, el análisis de los acontecimientos se entibia, debido a que se hace a través del corazón o prestando atención a los mensajes del cuerpo.

Un 7: las innovaciones y la inquietud se viven sobretodo a nivel mental o de las estructuras intelectuales, con un ansia de progresión perfeccionista en la Casa correspondiente.

Un 8: potencia y energía alimentan a este "5" para cambiar y lanzarse a nuevos emprendimientos con afán de concretarlos más allá de los obstáculos. La persona actúa como un "héroe" volcánico y avasallante.

Un 9: la apertura de conciencia y la imaginación ayudan a "ampliar las fronteras", a experimentar fuera de los esquemas convencionales, gracias a una inteligencia intuitiva capaz de captar y aceptar infinidad de situaciones y de seres humanos.

El Habitante 6 de una Casa puede ser modulado o matizado por:

Un 1: las emociones y la expresión de la ternura se viven de un modo autónomo, firme, con una mayor capacidad de dar que de recibir. Las iniciativas se enfocan hacia la búsqueda de la armonía y del bienestar en el área correspondiente.

Un 2: la disponibilidad y la calidez están acompañadas por la sensibilidad, la dulzura, la confidencia y un gran deseo de ser reconfortado.

Un 3: la ternura y la armonía necesitan expresarse a través del calor humano, del contacto en las relaciones, de la creatividad de un "niño interior" lleno de espontaneidad y de optimismo.

Un 4: la afectividad y el deseo de servir se estructuran y se organizan con precisión y cautela, al igual que los momentos de relajación o disfrute. Se privilegian los cuidados estéticos o médicos, en función de un buen manejo corporal.

Un 5: el placer y los vínculos amorosos necesitan movimiento y aire. La persona busca nuevas oportunidades para rodearse de confort y belleza y siempre está abierta a nuevas aventuras.

Un 6: los sentimientos y la ternura están reforzados, tanto como la disposición a la belleza y a lo armónico. La persona es sumamente servicial, con un profundo deseo de amar y ser amada y con el anhelo de disfrutar tranquilamente de las buenas cosas de la vida.

Un 7: la capacidad de amar y de brindarse pasan por el cernidor mental, controladas por el análisis y la exigencia. El placer se vive "dosificado" y frenado por una búsqueda de perfección y de estética pura.

Un 8: el amor y el servicio se concretan en proyectos para la salud o el bienestar. Hay un fuerte deseo de protección hacia los demás, que lleva a la persona a brindarse vehementemente y sin reservas.

Un 9: el afecto y la vocación de servicio comulgan con la idea de sacrificio y de entrega humanitaria en pos del bien común, iluminado por un amor universal que traspasa límites y fronteras de cualquier tipo.

El Habitante 7 de una Casa puede ser modulado o matizado por:

Un 1: el sendero espiritual o la búsqueda mental están confirmados con seguridad e independencia, con una gran facilidad para ser reconocido. ¿Reedición del modelo Papá?

Un 2: la toma de conciencia o el camino interior se hace a través de la sensibilidad, de la posibilidad de recibir "de arriba" y del otro, todo esto vivido con cierta dualidad o inseguridad.

Un 3: las ideas y los conceptos se expresan fluidamente ya sea a través de la escritura o de la palabra oral, con un fino sentido del humor y un deseo de hacer participar a los demás de los conocimientos.

Un 4: el saber y los estudios se estructuran y se organizan de un modo claro, procurando seguridad a través del conocimiento clasificado y sistematizado.

Un 5: hay una gran necesidad de sentirse libre en su recorrido intelectual o espiritual. La persona demuestra un gusto marcado por la investigación, a fin de descubrir nuevas teorías o creencias que respondan a su gran vivacidad mental.

Un 6: lo racional y espiritual se tiñen aquí de emotividad, de tibieza, procesándose las referencias mentales a través de la emoción, siempre en pos del confort y del cuidado propio y del otro.

Un 7: el conocimiento y el camino interior se recorren con mayor austeridad e introversión, con un gran afán de perfección.

Un 8: el saber y las enseñanzas están reforzados por el sentido de la estrategia y la buena administración. Hay mucha energía para producir y utilizar la cultura o la instrucción.

Un 9: detrás del bagaje de conocimientos adquiridos, encontramos un potencial de sabiduría universal, de saber "revelado" puesto generosamente al servicio de la evolución de la Humanidad.

El Habitante 8 de una Casa puede ser modulado o matizado por:

Un 1: el don de estrategia y el poder se afirman con energía, con la capacidad de construirse solo, sin ayuda de nadie. Esta energía puede provocar actitudes impulsivas, cargadas de impaciencia, o proyectos demasiado apresurados en el aspecto considerado.

Un 2: la táctica personal está flexibilizada por la intuición, la sensibilidad y la posibilidad de vinculación. El "caballero" puede ser tierno bajo su coraza y puede ser cíclico en su capacidad de lucha o de combate.

Un 3: el poder o los talentos se afirman a través de la comunicación o de la creatividad, con la intención de ser reconocido y de mantener una imagen de super héroe. En el área correspondiente la capacidad creativa es concreta y realizable.

Un 4: los talentos se manifiestan con responsabilidad, meticulosidad y sentido del deber, junto con un deseo de realización poderoso en el área que se está analizando. Existe una marcada necesidad de seguridad material.

Un 5: las conquistas se hacen con ímpetu, vehemencia y audacia sin miedo a arriesgar, aceptando desafíos o emprendiendo rutas nuevas y desconocidas.

Un 6: los talentos se orientan al cuidado, a la ecología corporal, a la obtención del confort, del bienestar y de la armonía. También a todo lo relacionado con la estética o la decoración.

Un 7: ésta es una combinación poco frecuente, pero si la encontramos significa que el manejo de los talentos pasa por el análisis mental, el discernimiento, la estrategia financiera o la prudencia al invertir.

Un 8: casi nunca aparece porque no podemos tener ocho letras de valor 8. Pero en caso positivo, la persona estaría dotada de una potencia impresionante, comparable a un volcán en erupción.

Un 9: combinación casi imposible también. Pero en caso de aparecer, señala que los talentos necesitan de la imaginación como vehículo de expresión, tanto como de una gran apertura de conciencia hacia lo infinito, sin ninguna clase de límites.

El Habitante 9 de una Casa puede ser modulado o matizado por:

Un 1: el potencial de servicio está apoyado por un Habitante fuerte que permite abrirse camino a nivel social o colectivo, con el deseo de ser reconocido o de emprender nuevos rumbos de un modo efectivo.

Un 2: el servicio humanitario está complementado por una percepción sensible del sufrimiento del "otro". Las emociones permiten desarrollar el mundo imaginario más allá de las fronteras conscientes.

Un 3: el humanismo y el ideal altruista de ayuda colectiva necesitan ser reconocidos y estimulados por los aplausos del "público". Hay capacidad, para animar multitudes y mucha creatividad vinculada al inconsciente colectivo.

Un 4: los ideales y los sueños "aterrizan" de un modo preciso y serio, a fin de unir "el arriba y el abajo", para compartir luego los frutos con los demás.

Un 5: detrás del deseo de ampliar los horizontes, tenemos un Habitante que nos ofrece "más rienda suelta", más aire, más ocasiones de vivir situaciones poco habituales pero profundamente renovadoras, gracias a sus antenas para comunicarse con la energía cósmica.

Un 6: la vocación de servicio, de cooperación y de consuelo está sostenida por una cálida ternura preocupada por "vincular a los demás", reuniéndolos en torno al amor y la concordancia. Hay un anhelo de amor incondicional y "sin límites".

Un 7: el ideal humanitario o los mensajes del inconsciente están clasificados, analizados y procesados con rigor, discernimiento e introspección. Todo se desarrolla únicamente a nivel mental sin llegar a concretarse.

Un 8: los proyectos de servicio o de ayuda humanitaria se llevan a cabo a nivel colectivo y social, con poderosos beneficios y logros de amplio alcance.

Un 9: el ideal o la conciencia colectiva se encuentran reforzados en el área correspondiente, con una afinada "sintonía" por los problemas de la Humanidad y una reiterada y permanente disponibilidad a la ayuda y a la colaboración, en pos del Bien Universal.

- IV -
Puentes Iniciáticos

Tengo confianza en las cualidades que Dios me ha dado.
Abandono mis dudas y mis titubeos y elijo jugar de lleno
y sin reservas la partida que la vida me ofrece.
Ahora el Universo me contesta y me proporciona alegría,
abundancia y luz para mí y todos los que me rodean.

Cuando describí la Inclusión en detalle con los Habitantes en los nueve aspectos de vida, al final de cada Habitante presenté el Puente Iniciático, es decir la invitación o la sugerencia de otro camino posible para vivir mejor los Habitantes de Base.

Antes de abordar estos Puentes de un modo más global, me gustaría identificar con ustedes los aspectos de sombra o de miedo, y a su vez los aspectos de luz o de potencial de cada número. De esta forma, haremos un trabajo de introspección sobre la forma de vivir cada uno de estos Habitantes.

No debemos olvidar que nosotros –al igual que los números– somos a la vez sombra y luz, y que el gran desafío de nuestra vida es batallar para llegar poco a poco a la liberación de nuestro Ser.

Descubrir en nosotros estos aspectos de sombra es lo que nos va a permitir tomar conciencia de lo que nos bloquea o limita, y a partir de ahí, ser capaces de enfrentarlo y trabajarlo para vivir de un modo más armonioso y feliz.

Podríamos pensar en ello como lo que ocurre en una casa donde decidimos hacer una limpieza general, removiendo los muebles para sacar la "mugre vieja" que está escondida desde hace largo tiempo, y con la que, al no verla, convivimos sin darnos cuenta.

Pero una vez que removimos las cosas e identificamos qué es lo que hay que limpiar y lo hacemos, la casa entera reluce y respira con un aire nuevo donde "se siente" lo limpio y donde da gusto vivir.

Ésta es una lucha cotidiana que nos exige perseverancia pero tal como dice la expresión: "vale la pena"; es decir, tiene sentido transitar por la pena o la dificultad para alcanzar la plenitud.

Dicho esto, vamos a presentar de forma esquemática cada Número con su carga de sombra y luz, haciéndonos para cada uno la siguiente pregunta: ¿cómo vivo hoy este número?

Es decir, si me encuentro más inclinado hacia la sombra o hacia la luz; qué camino llevo recorrido de un tiempo a esta parte y cuánto me queda por trabajar para llegar hacia la luz.

Es un trabajo totalmente introspectivo, donde cada persona puede hacer su propia evaluación para darse cuenta de lo que ya lleva resuelto, tal como haríamos en una ruta para saber qué distancia hemos recorrido y cuánto nos queda todavía por transitar para llegar a destino.

Del 1

Miedos y sombra	Posibilidades y luz
• De afirmar mi puesto en el aspecto considerado.	➤ Puedo plantarme sólido como un roble.
• De asumir mi ego o mi identidad.	➤ Puedo aceptarme totalmente en la plenitud de mi Ser.
• De no estar a la altura de lo que soy realmente.	➤ Soy capaz de verme como soy en realidad.
• De no ser reconocido en el área correspondiente.	➤ Puedo ser reconocido en todo mi alcance.
• De ser "pionero" y lanzarme a nuevos desafíos	➤ Puedo guiar a los demás en caminos innovadores.
• De no ser capaz de asumir mi autonomía e independencia.	➤ Me hago cargo de mi propia singularidad.
• De no "calzar los zapatos" de mi padre.	➤ Soy capaz de afirmarme liberándome de la imagen de mi padre.

Del 2

Miedos y sombra	Posibilidades y luz
• De amarme a mí mismo o aceptarme tal como soy.	➤ Me amo y me recibo, dando gracias por lo que soy.
• De no ser amado o de ser abandonado.	➤ Puedo ser amado sin que me abandonen.
• De entregarme confiadamente en una relación duradera.	➤ Puedo brindarme al otro con confianza y entrega.
• De no poder manejar mis propias emociones.	➤ Controlo mis emociones y mi sensibilidad.
• De vivir sin el apoyo del otro por falta de confianza propia.	➤ Soy capaz de confiar en mí sin depender del otro.
• De tener que optar y de tomar mis propias iniciativas.	➤ Puedo elegir sin dificultad, sin dejarme manipular.
• De aceptar y vivir mi propia feminidad.	➤ Disfruto mi potencial femenino.
• De cortar el "cordón umbilical".	➤ Libero a mi madre en su identidad, recuperando la mía.

Del 3

Miedos y sombra	Posibilidades y luz
• De no ser amado por mis padres, mi familia o amigos.	➤ Tengo el amor de mis padres, mi familia y mis amigos.
• De ser mal visto o de no ser reconocido por los demás.	➤ Soy reconocido por lo que soy, sin necesidad de fingir.
• De expresarme a través de la creatividad artística o verbal, por timidez o inseguridad.	➤ Puedo expresar mi creatividad con total confianza y seguridad, prescindiendo de mi imagen.
• De ser espontáneo, de saber vivir con alegría, de disfrutar el presente.	➤ Sé disfrutar el "aquí y el ahora" con espontaneidad y alegría.
• De enfrentarme a mi propia imagen.	➤ Me acepto tal como soy.
• De dejar salir "el niño interior".	➤ Dejo fluir mi "niño interior".

Del 4

Miedos y sombra	Posibilidades y luz
• De no lograr mi seguridad material o de pasar penurias.	➤ Gano lo suficiente como para cubrir bien mis necesidades.
• De perder mi trabajo, mi status, mis raíces y el legado familiar.	➤ Tengo mis raíces firmes en la tierra y un lugar en la familia.
• De apartarme del sentido del deber y de la responsabilidad.	➤ Cumplo con mis obligaciones de un modo íntegro y leal.
• De abrir "mis muros protectores" y de vivir en mi cuerpo.	➤ Bajo mi "puente levadizo" para entibiarme con el Sol de la vida.
• De no cumplir con las normas familiares, profesionales y sociales.	➤ Acepto los códigos sin conflicto y con flexibilidad.
• De no poder implementar mis dones de organización y administración.	➤ Manejo mi vida con planificación y minuciosidad.
• De la enfermedad y de sufrir la debilidad física.	➤ Estoy sano y disfruto de un cuerpo vital.

Del 5

Miedos y sombra	Posibilidades y luz
• De experimentar mi libertad y mi independencia.	➤ Vivo mi libertad y mi autonomía sin culpa.
• De aceptar las aventuras y los cambios constantes.	➤ Doy la bienvenida a la aventura y al riesgo.
• De lanzarme en búsquedas no convencionales a nivel mental y espiritual.	➤ Recorro los senderos nuevos con curiosidad y audacia, sin preconceptos.
• De vivir con gusto el placer o la sexualidad.	➤ Disfruto de mi cuerpo, sin incurrir en excesos.
• De no poder controlar "mi caballo desbocado".	➤ Soy capaz de llevar mi caballo "a rienda corta".
• De expresar mi energía vital.	➤ Libero mi energía en la danza, el deporte y el arte marcial.

Del 6

Miedos y sombra	Posibilidades y luz
• De no ser digno de ser amado o de no poder amar.	➤ Merezco ser amado y puedo amar plenamente.
• De ser abandonado por mis seres queridos.	➤ Mis seres queridos nunca me van a abandonar.
• De dejar aflorar la ternura a través de mi cuerpo.	➤ Dejo fluir mi ternura, sin temor a perder el control.
• De verme abrumado por mi sensibilidad y mis emociones.	➤ Vivo mi afectividad de forma cálida y radiante.
• De experimentar el placer sensual a través de mis sentidos.	➤ Celebro el disfrute de mis sentidos.
• De no alcanzar la armonía y el bienestar en mi vida.	➤ Mi vida transcurre en paz y armonía.
• De no poder manifestar mi potencial de maternidad o paternidad.	➤ Canalizo mi instinto protector, sin agobiar al otro.

Del 7

Miedos y sombra	Posibilidades y luz
• De no saber lo suficiente o de no capitalizar mi sabiduría.	➤ Sé lo suficiente y pongo en práctica mis conocimientos.
• De lanzarme en mi crecimiento intelectual o espiritual.	➤ Me pongo en marcha hacia la paz interior y la serenidad.
• De no estar a la altura de mi propio ideal de vida.	➤ Soy capaz de alcanzar mi ideal ético y estético.
• De apartarme de las leyes morales y culturales.	➤ Puedo aceptar una progresión constante a todos los niveles.
• De perder mi bagaje espiritual e intelectual.	➤ Convalido mis referencias mentales y espirituales.
• De perder el equilibrio psíquico.	➤ Confío en mi estabilidad mental.

Del 8

Miedos y sombra	Posibilidades y luz
• De identificar y admitir mis talentos.	➤ Descubro mis talentos y los bendigo como regalos.
• De hacerlos fluir y concretarlos productivamente.	➤ Soy capaz de hacerlos fructificar abundantemente.
• De llevar a cabo mi poder de alquimia.	➤ Transformo la Tierra con éxito.
• De embarcarme con intrepidez y ambición en proyectos innovadores.	➤ Emprendo con coraje y energía planes ambiciosos.
• De no alcanzar mi potencia económica y mi estatus social.	➤ Me afirmo en mi poder material, brindando seguridad a los otros.
• De no administrar el dinero con discernimiento y disponibilidad.	➤ Hago circular el dinero como energía sana y beneficiosa.
• De reconocerme como un héroe, capaz de descollar por sus talentos.	➤ Vivo como un héroe gracias a la confianza en mis talentos.

Del 9

Miedos y sombra	Posibilidades y luz
• De enfrentar mi vida cotidiana con sus demandas y rutinas.	➤ Encaro lo cotidiano con realismo y sentido práctico.
• De ampliar mis horizontes en pos de una mayor apertura de conciencia.	➤ Abro mi conciencia a visiones de más vasto alcance.
• De dedicarme al servicio o al ideal humanitario.	➤ Colaboro generosamente al bien de la Humanidad.
• De entrar en contacto con mi vida interior y mi sabiduría innata.	➤ Me conecto con mi Ser interior y mi conocimiento universal.
• De no corresponder a mi propio ideal, abandonando la lucha.	➤ Permanezco en la trinchera, a pesar de los obstáculos.
• De expresar mi poder imaginativo y mi capacidad de captar los símbolos.	➤ Acepto mis sueños y expreso mi creatividad y mi fantasía.
• De ser un faro de luz para los demás en mi misión mística.	➤ Vivo mi relación con la energía divina como un instrumento de paz y de amor incondicional.

Después de haber hecho la radiografía de cada Número con sus costados de sombra y su potencial de luz, vamos a repasar nuevamente cómo utilizar esta información.

Si tengo un Habitante 4 en la Casa 1 debo mirar en qué punto estoy con este 4: ¿en la sombra o en la luz? y en cuál de los aspectos detallados me reconozco más o debo trabajar más a fondo.

Al plantearnos estos interrogantes, sobre todo no debemos tener miedo de enfrentar claramente nuestra situación, porque siempre hay que poner el acento en lo que ya hemos avanzado y que ya está a nuestro favor. Igualmente no debemos olvidar que todos los Habitantes tienen una gran carga de luz, que nos permite vernos bajo nuestra faz positiva sin dejarnos abrumar por lo que nos falta por recorrer.

Para completar este análisis objetivo y realista, debemos también tener en cuenta la posibilidad de los excesos en las energías de cada Número. Es decir, aun dentro de los aspectos positivos del Número, se corre el riesgo de caer en abusos de algunas de sus características más relevantes, que sin ser aspectos de sombra, empañan la posibilidad de evolucionar de un modo equilibrado y pleno.

Esto es justamente lo que ocurre con un Sol en cualquiera de las áreas, en que en el afán de llenar ese vacío, podemos pasar de la "Nada" al "Todo" con exceso.

A continuación vamos a dar rápidamente dos o tres características de cada Número, sobre las cuales hay que prestar mayor atención para no incurrir en estos excesos:

Del 1
- Egocentrismo, orgullo, soberbia.
- Autoritarismo, agresividad, despotismo.
- Impulsividad, impaciencia, intolerancia.

Del 2
- Dualidad, vacilación, cobardía.
- Complejos de inferioridad, autodestrucción.
- Dependencia, rol de víctima.

Del 3
- Frivolidad, snobismo, superficialidad.
- Hipocresía, adulación, servilismo.
- Irresponsabilidad, liviandad.

Del 4
- Estrechez mental, inflexibilidad, dogmatismo.
- Tacañería, avaricia, materialismo.
- Obsesión por el trabajo, susceptibilidad, manía.

Del 5
- Impaciencia, irritabilidad, violencia.
- Inestabilidad, agitación, inconstancia.
- Libertinaje, adicciones (alcohol, droga, juego, etcétera).

Del 6

- Posesión, manipulación, celos.
- Pereza, cobardía, inercia.
- Culpabilidad, obsesiones, desequilibrios emocionales.

Del 7

- Intransigencia, dureza, soledad.
- Soberbia, descalificación, intolerancia.
- Pesimismo, autocastigo, depresión, neurosis.

Del 8

- Avidez de poder, codicia, materialismo.
- Arrogancia, tiranía, despotismo.
- Agresividad, violencia, crueldad.

Del 9

- Inconsistencia, ilusión, desconexión.
- Aislamiento, marginación, vagancia.
- Depresión, amargura, agresividad.

Recursos de los Puentes Iniciáticos

Ahora vamos a descubrir los recursos que nos ofrecen los Puentes Iniciáticos, permitiéndonos pasar de la sombra a la luz o trabajar los excesos si los encontramos en nuestro Tema.

El Puente –tal como en la vida real– nos ayuda a alcanzar el otro lado, ya sea de un río o de un cañón, funcionando como un camino alternativo.

Lo que ofrece el Puente es la posibilidad de hacer surgir los mejores aspectos de nuestros Habitantes, pero encarándolos no de un modo frontal sino por la retaguardia. Es decir, el Puente vendría a ser como un camino vecinal que en lugar de llevarnos directamente al objetivo, lo rodea para poder abordarlo mejor.

Es importante recordar que en nuestra Numerología no hay imposiciones o determinismos, por lo tanto siempre debemos considerar el Puente como una invitación o una sugerencia de emprender otra ruta, pero en última instancia la decisión de adoptarlo, o no, es responsabilidad y elección de cada uno.

¿Cómo se calcula?

Es la diferencia entre el Habitante de base y el Número de la Casa correspondiente, siempre partiendo del mayor hacia el menor.

En los casos donde aparecen 10 letras o más en una Casa, debemos tener en cuenta la cantidad de letras y no el número reducido.

Ejemplos:

En el caso de 12 letras de valor 5, el Puente será $12 - 5 = 7$.

Si tenemos 10 letras de valor 1, el Puente va a ser $10 - 1 = 9$.

Volviendo al caso de María Carolina con su Inclusión de Base, los Puentes se podrían interpretar de este modo:

- En la Casa 1 el Habitante de Base es un 6, por lo que el Puente va a ser $6 - 1 = 5$

  El Puente 5 sería como una invitación a María Carolina a no temer lanzarse a nuevos desafíos o emprendimientos, para liberarse de la vulnerabilidad o de una cierta pereza de su Habitante 6.

- En la Casa 2 donde aparece un Sol, no encontramos Puente, porque desconocemos quién es el Habitante de Base.

  En caso de Soles, debemos descubrir la forma más adecuada para llenar ese Sol de luz, intentando sacar el mejor partido de los aspectos considerados en el área en cuestión.

- En la Casa 3 donde el Habitante está en su lugar, tampoco encontramos un Puente, porque la diferencia entre el Habitante y la Casa es nula.

  ¿Qué significa esto? Que justamente María Carolina debe hacer un trabajo introspectivo sobre su modo de vivir hoy en el presente, su potencial 3. ¿Lo vive del lado de la sombra o de la luz?

  Según lo que aparezca, se puede poner en marcha para liberar todavía más el potencial de este *doublet*.

- En la Casa 4 tenemos un Habitante 1, lo que nos da $4 - 1 = 3$. El Puente 3 es una sugerencia para utilizar todo el poder de comunicación y de creatividad para afirmarse en el campo profesional y en sus raíces sobre la tierra.

- En la Casa 5 tenemos un Habitante 3, por lo que el Puente va a ser $5 - 3 = 2$. Es una invitación para María Carolina a utilizar sus emociones, su intuición y su sensibilidad en su proceso de apertura al mundo, sus contactos humanos, así como su modo de vivir su energía vital y su sexualidad.
  Este Puente se podría interpretar también como una sugerencia a entrar más en contacto con su voz interior, a fin de evitar la posibilidad de superficialidad del Habitante 3.

- En la Casa 6 donde encontramos un Habitante 1, el Puente será $6 - 1 = 5$.
  Debemos tener en cuenta que en este caso el Puente 5 aporta un mensaje ligeramente diferente que en el primer ejemplo (en la Casa 1), ya que siempre está directamente vinculado con los aspectos de la Casa considerada, para optimizarlos.
  Por lo tanto, la invitación es a liberarse de un amor quizás demasiado posesivo o sofocante para dejar entrar más aire o más fantasía en los vínculos, con una mayor apertura a los demás y sin temor a vivir más aventuras.

- En la Casa 7 donde tenemos un Habitante 2, el Puente nos da $7 - 2 = 5$.
  ¿Cómo interpretarlo? El Habitante 2 de la Casa 7 puede reflejar ciertas vacilaciones para involucrarse en el camino intelectual o espiritual. El Puente 5 sería una invitación a emprender con audacia y decisión otros caminos de búsqueda, para alcanzar su paz y su armonía interior.

- En la Casa 8 donde el Habitante es 1 el Puente será $8 - 1 = 7$. Es una propuesta para María Carolina a utilizar sus conocimientos o su potencial mental para afirmar sus talentos y ser reconocida.

- En la Casa 9 María Carolina tiene un Habitante 7, por lo que el Puente va ser 9 − 7 = **2**. Éste es un claro ejemplo de lo que explicábamos al principio sobre cómo calcularlo, que se va de lo mayor a lo menor.

  Vimos –explicando la Inclusión de Base– que María Carolina puede vivir su ideal de servicio humanitario de un modo muy mental. El Puente 2 es una invitación a entrar en sí misma, a escuchar su intuición, su sensibilidad y su emotividad para ayudar a los demás.

De esta forma podemos ver que el Puente es una información muy sencilla y clara, pero sumamente útil y valiosa para desarrollar los mejores aspectos de nuestros Habitantes.

Igualmente, hay que tener en cuenta que algunos Puentes tienen mayor importancia que otros en cuanto al mensaje que conllevan. El Puente de la Casa 1 es, por lo general, el de más relevancia, dado que su sugerencia está dirigida a afirmar nuestro ego y nuestra identidad, área fundamental en la vida de una persona.

Otra información a tener en cuenta es que si los Puentes se repiten, es señal de que debo prestar especial atención a las energías a las cuales hacen referencia, para liberar el potencial de las Casas correspondientes.

Si tengo un Habitante 4 en la Casa 1, significa que probablemente tengo una tendencia a cargarme de responsabilidad, a cumplir mis tareas con un profundo sentido del deber o conciencia de mis obligaciones laborales. El Puente 3 (4 − 1) es una invitación –por lo tanto– a abrirme a la vida, al disfrute, a la creatividad que puede ser la vía más adecuada para encontrarme a mí mismo, dejar fluir mi Ser profundo y vivificarme con la espontaneidad de mi niño interior.

Otro ejemplo: si en mi Casa 1 tengo un Habitante 7, puedo vivir mi identidad y mi ego con demasiadas exigencias, con un exacerbado deseo de perfección. El Puente 6 (7 − 1) es una invitación a no tener temor de dejar aflorar mis emociones, mi sensibilidad, mi calidez para entibiar este ego tal vez demasiado mental o intelectual.

De igual forma, si tengo un Habitante 1 en la Casa 7, el Puente 6 me sugiere teñir mi camino intelectual y espiritual con los efluvios de mi ternura, mi emotividad y mi benevolencia.

Otros Puentes fáciles de interpretar y muy comunes son, por ejemplo: en el caso de un Habitante 4 en las Casas 2 o 6, significa que tengo dificultad para vivir mis emociones, o que he tenido que protegerme en la infancia de agresiones o conflictos a los cuales era muy vulnerable. Eso me llevó a levantar "muros protectores" de los cuales hoy me cuesta prescindir. El Puente 2 me invita a reencontrarme conmigo mismo, a estar abierto a mi intuición profunda, a dejar florecer mi dulzura y mi flexibilidad, a vivir mi capacidad de dar y recibir sin temores, con la calidez y el entusiasmo del amor.

Son ejemplos muy sencillos y que se pueden encontrar con mucha frecuencia.

Reitero, una vez más, que la interpretación de un Puente se debe hacer desde la intuición y con total respeto hacia la historia de la persona. Dos Puentes iguales, en las mismas Casas, pueden tener una interpretación completamente diferente según la persona, debido a que cada uno es singular y los mensajes son herramientas o señales luminosas que corresponden a cada caso particular.

Aspectos generales de cada Puente

Sin perder esto de vista, voy a indicarles a continuación algunos aspectos generales aplicables a la interpretación de los Puentes:

El Puente Iniciático 1 nos invita a:

- Afirmarnos en la posibilidad de lanzarnos de manera autónoma y segura.
- Aceptar el rol de autoridad en el grupo.
- Dejar surgir las ideas innovadoras, aceptando ser un "pionero".
- Abrir nuevos rumbos, sosteniendo firmemente "el timón".
- Dejar fluir la parte masculina (Yang).
- Seguir eventualmente los consejos del padre.

El Puente Iniciático 2 nos invita a:

- Prestar atención a nuestra intuición y nuestra sensibilidad.
- Mantener un sano control sobre nuestra emotividad, desprendiéndonos del negativismo y la falta de confianza.
- Ser capaces de dar y recibir con sencillez, sobretodo aceptando del otro, y también al otro.
- Ser más suaves, flexibles y tolerantes.
- Atrevernos a considerar dos soluciones complementarias.
- Dejar fluir nuestra parte femenina (Yin).
- Aceptar eventualmente los consejos de nuestra madre.

El Puente Iniciático 3 nos invita a:

- Abrirnos a los otros, dando mayor importancia a los contactos humanos.
- Desarrollar nuestro potencial de expresión y creatividad.
- Revalorizar nuestra imagen personal, cuidando nuestra apariencia.
- Dejar entrar el optimismo y la alegría en nuestra vida, disfrutando de los pequeños "milagros cotidianos".
- Incorporar con entusiasmo soluciones originales.
- Recuperar nuestro niño interior, permitiéndole expresarse libremente.

El Puente Iniciático 4 nos invita a:

- Jerarquizar el aspecto material de nuestra existencia.
- Tomarnos el tiempo necesario para organizarnos y "construirnos" paso a paso, con tenacidad y prudencia.
- Valorizar la tradición o los lineamientos de nuestra historia familiar.
- No tener miedo de ocupar "nuestro puesto" y afianzar nuestras raíces en la Tierra.
- Identificar y superar nuestros miedos más ocultos.
- Saber poner límites para protegernos, cuando haga falta.

El Puente Iniciático 5 nos invita a:

- Actuar con más libertad y con mayor intrepidez.
- Jugarnos al movimiento, dándole la bienvenida a los cambios.
- Utilizar nuestra capacidad de análisis o de lógica, frente a los acontecimientos.
- Adaptarnos a lo diferente, ya sean situaciones, personas o razonamientos.
- No temer vivir a fondo nuestra energía vital y nuestra sexualidad.

El Puente Iniciático 6 nos invita a:

- Vivir plenamente la belleza de nuestras emociones y nuestra sensibilidad.
- Elegir un camino pacífico, dando prioridad a los impulsos del corazón.
- Poner más dulzura en nuestros vínculos y a procurar el bienestar en nuestro entorno.
- Aceptar las decisiones simples, teniendo confianza en sí mismo.
- Gratificarnos a través del cuidado responsable de nuestro Ser.
- Abrirnos a los demás con generosidad y bondad, sin miedo al abandono.

El Puente Iniciático 7 nos invita a:

- Utilizar nuestros conocimientos de forma organizada y sistemática.
- Dar espacio en nuestra vida a la reflexión, a la introspección y al silencio interior.
- Priorizar los estudios o las búsquedas metódicas y selectivas.
- Aprender a proteger nuestra intimidad psicológica o nuestra privacidad.
- Adoptar soluciones más serias, exigentes y profundas.

El Puente Iniciático 8 nos invita a:

- Concretar de forma exitosa el "capital" de nuestros talentos.
- Aprender a comprometernos en forma equilibrada, tanto a nivel de nuestra energía física como de nuestros recursos financieros.
- Lograr la realización de las misiones personales, en el terreno correspondiente.
- Actuar con equidad y ecuanimidad.
- Aceptar ser un "héroe" en el área considerada, asumiendo la potencia interior como un plus.

El Puente Iniciático 9 nos invita a:

- Prestar más atención a la ayuda al prójimo.
- Estar atentos a nuestra misión mística y a nuestra rica vida interior.
- Incorporar nuevos sueños e ideales de amplio alcance.
- Privilegiar las soluciones colectivas, las responsabilidades grupales en bien de la Humanidad.
- Fomentar el servicio y la compasión humanitaria.
- Abrirnos a la energía universal y cósmica, aceptando su capacidad de "radar".

- V -
PROPUESTAS DE EVOLUCIÓN

El plan de mi vida se desarrolla por etapas,
según la voluntad de mi alma.
Acojo cada una de esas fases con serenidad, desapego y alegría,
sabiendo que soy guiado, siempre con sabiduría y amor
por el camino hacia la plena realización de mi Ser.

Después de haber analizado los Habitantes de Base, aclarados en sus matices por la Inducción, y haber descubierto la utilidad de los Puentes para aprovechar lo mejor de diferentes facetas de nuestro Ser, vamos a ir un paso más allá descubriendo las posibilidades de la evolución.

Esta Inclusión Evolutiva nos va a ofrecer propuestas posibles o pistas para despertar, destinadas a favorecer el desarrollo interior o abrirnos a nuevos estados de conciencia en las áreas consideradas.

Y más que nunca debemos insistir en el carácter libre de estas sugerencias, ya que la evolución no es un avance garantizado, sino que va a depender exclusivamente de la progresión interna de cada Ser.

Estas etapas evolutivas, en realidad, se pueden comenzar a experimentar a partir de los 30 años aproximadamente, una vez que ya somos capaces de vivir bien los aspectos de los Habitantes de Base.

Sin embargo, este avance va a estar de acuerdo con el ritmo de cada uno, guiado por su intuición y propulsado por sus aspiraciones, fuera del tiempo calendario.

Al igual que ocurre en la Naturaleza, cada ser humano tiene un tiempo de floración diferente: los hay más tempranos y otros más tardíos, pero todo ocurre en el momento exacto, sin reglas estándares, sino sintiéndolo cuando a cada uno "le calza".

No hay que olvidar que esto hace parte del misterio de cada vida individual.

Por ejemplo: si mi evolución me propone pasar de un Habitante 4 en la Casa 1 a un Habitante 7 como horizonte final, esto supone una serie de etapas sucesivas que van a aparecer una tras otra, pero sin rigidez, con la fluidez y la plasticidad de todo proceso de transformación.

Pensemos, por ejemplo, en una niña de 11 años y en los cambios simultáneos que experimenta su cuerpo: no ha abandonado todavía la infancia y sin embargo ya se adivinan en ella las formas futuras de la mujer. Todo está allí en germen, desdoblándose suavemente, sin transiciones bruscas o definitivas; lo que no implica que en algunos casos el ritmo se puede acelerar a partir de situaciones límites que pueden hacer avanzar el proceso evolutivo. Sería el ejemplo de enfermedades graves, accidentes o experiencias místicas, profundamente modificadoras.

Por lo tanto, este proceso evolutivo va a tener lugar en primera instancia, no cuando yo viva plenamente el Habitante de Base –que sería algo un poco utópico, porque nos puede llevar toda la vida– sino cuando me sienta "cómodo" con él, como con un vestido conocido.

El Habitante de Base vendría a ser igual que nuestra estructura corporal y nuestra herencia genética con las que nacemos, las cuales si bien se van a modificar con las diferentes épocas, siempre están allí reconocibles a través de los cambios, como parte integrante de nosotros mismos.

Nuestro Habitante de Base vendría a ser como una primera configuración, a la que luego le adicionaremos otros aportes, pero que siempre nos va a identificar y en la que nos podemos reconocer como singulares.

Si aplicamos esto al ejemplo utilizado más arriba, cuando la persona se sienta cómoda con las características del Habitante 4, va a experimentar el dinamismo del Habitante 5, luego la ternura y la sensibilidad de un Habitante 6 para llegar a la introspección del Habitante 7, pero siempre con el "sello de base" del Habitante 4 inicial.

Imaginemos un fundido de imágenes, donde se superponen unas a las otras, esfumándose suavemente para dar paso a la siguiente, pero sin desaparecer totalmente.

Es importante aclarar que esta información va a resultar más familiar y fácil de reconocer para aquellas personas que ya están habituadas a escuchar su propia intuición, porque corresponde a sus deseos y anhelos más profundos en materia de progresión. Es decir, que la persona "siente" que ésa es su ruta, que de alguna manera eso es lo que tiene de mejor de sí para dar y que coincide, en última instancia, con su proyecto de vida.

Para otros va a suponer un ejercicio de escucha interior, para descubrir en qué punto están en su proceso evolutivo.

La clave aquí es el dejarse guiar por la intuición, porque tal como explicábamos en el funcionamiento del hemisferio cerebral femenino (Yin), esto permite un abordaje completamente diferente, donde hasta es posible salir de los límites marcados por el tiempo convencional.

En este caso, eso significaría que –en sintonía con mi intuición que me indica "hacia dónde"– yo puedo atraer hoy a mi vida ese proceso evolutivo, acelerando las etapas y juntándome con lo que representa mi ideal profundo.

Para saber si ya empezamos nuestro proceso evolutivo, es imprescindible, entonces, volver a hacer un trabajo de introspección, de balance personal que nos permita saber en qué punto estamos y qué tramo llevamos recorrido.

Para ello, frente a cada aspecto considerado, debemos plantearnos las siguientes preguntas:

¿Dónde me ubico hoy en mi proceso evolutivo?
¿Qué tanto he cambiado y qué tanto me falta por cambiar?

Veamos ahora cómo se calcula.

Siempre basándonos en la Inclusión de Base, debemos ir a la pesca de los Habitantes correspondientes al aspecto considerado y sumarlos al Habitante de Base.

Por ejemplo: si quiero saber cómo voy a evolucionar en la afirmación de mi identidad (Casa 1) voy a buscar cuántos Habitantes 1 encuentro en la Inclusión de Base y sumarlos al Habitante original de la Casa 1.

Si aplicamos esto a la Inclusión de María Carolina:

CASAS	1	2	3	4	5	6	7	8	9
HABITANTES	6	☀	3	1	3	1	2	1	7

Encontramos 3 Habitantes 1, por lo que la Propuesta de Evoución va a ser: 6 (Habitante de Base) + 3 = **9**

Si quiero saber qué va a pasar con su problema del Sol en la
Casa 2, voy a mirar si encuentro otros Habitantes 2 en su Inclusión
de Base. Hay un 2 en la Casa 7, por lo que su evolución va a ser:
0 (Habitante de Base) + 1 = **1**.

Continúo con los aspectos de creatividad de la Casa 3 y observo
que encuentro 2 veces el 3 (Casa 3 y Casa 5), por lo que la Propuesta
de Evolución va a ser: 3 (Habitante de Base) + 2 = **5**.

Luego miro cuál es la posibilidad de evolución en el aspecto 4;
no encuentro otros Habitantes 4, lo que indica que el Habitante de
Base 1 va a permanecer igual toda la vida. Esto, sin embargo, no
significa que no vaya a haber cambios, ya que sabemos que el Habitante es una energía dinámica y en movimiento.

Por lo tanto, es probable que María Carolina se posicione en su
profesión de un modo diferente a sus 30 o a sus 50 años.

Si quiero saber cómo va a evolucionar María Carolina en los
aspectos de búsqueda de libertad, aceptación de cambios o desafíos
(Casa 5), voy a ver qué otros Habitantes 5 encuentro en las demás
Casas.

No hay ninguno; entonces debo interpretar que el Habitante de
Base 3 no va a cambiar a otra vibración, lo que no implica que no
evolucione dentro de sus propias potencialidades para ser vivido cada
vez mejor.

Si considero ahora los aspectos del 6, el manejo de las emociones y la sensibilidad, voy a la búsqueda y encuentro otro Habitante 6
en la Casa 1, por lo que la evolución va a ser: 1 (Habitante de Base) +
1 = **2**.

Para saber si María Carolina va a tener nuevas propuestas en el aspecto del conocimiento y del saber, o con respecto a su camino espiritual (Casa 7), voy a ver si hay otros Habitantes 7 presentes en la Inclusión de Base y encuentro un 7 en la Casa 9. Su posible evolución va a ser: el 2 (Habitante de Base) + 1 = **3**.

Si quiero ver si se presentarán cambios en los aspectos de administración de los talentos (Casa 8) de María Carolina, busco nuevamente otros Habitantes 8, al no encontrarlos, sabemos que el Habitante de Base permanecerá igual, pero sujeto a su propio proceso evolutivo.

Finalmente, para saber si María Carolina va a evolucionar en los aspectos concernientes al 9, miro si encuentro otros Habitantes 9, y al no haber deduzco que el Habitante 7 permanecerá allí con un gran trabajo de evolución por delante.

Si debo resumir la información de María Carolina, sus Propuestas de Evolución van a ser las siguientes:

CASAS	1	2	3	4	5	6	7	8	9
HABITANTES	6	☀	3	1	3	1	2	1	7
PUENTES	5	-	-	3	2	5	5	7	2
EVOLUCIÓN	**9**	**1**	**5**	**1**	**3**	**2**	**3**	**1**	**7**

Vamos a intentar ahora analizar las posibilidades de evolución de María Carolina, aunque en realidad ella es la única que verdaderamente puede ubicarse en su propio proceso evolutivo. Lo que se le sugiere son únicamente pistas para ayudarla a captar cómo interpretar su evolución.

De acuerdo con el gráfico, vemos que el aspecto **1** pasa de un ego sensible, tierno, tal vez vulnerable (Habitante 6), a un deseo de abrirse al amor universal y al servicio humanitario (Evolución 9). Para que esto se lleve a cabo, es importante recordar el aspecto de la "individualidad" de los tiempos.

La única condición va a ser haber asumido "cómodamente" el Habitante 6 de Base; luego podría seguir con los aspectos del Habitante 7, lo que marcará probablemente en su vida una instancia donde su ego deberá expresarse de un modo más interior y exigente, quizás por medio de la soledad y la introspección.

Luego pasará por un período donde siente que puede afirmar su identidad o su puesto en el mundo a través de su potencia y de la manifestación de sus talentos (Habitante 8), para –finalmente– llegar a esa apertura de conciencia y de amor que representa el Habitante 9.

Todo esto se va a producir sobre la "estructura" del 6 de Base, que permanece allí como una "tonalidad primaria".

El Sol de la Casa 2 se transforma en su proceso evolutivo en un 1. Recordarán que cuando vimos la Simbología de los Números, les expliqué que detrás del Sol se perfila el 1, así como el 1 proviene del 0, que representa el Infinito y la gran reserva cósmica.

Es el caso de la propuesta evolutiva de María Carolina que va a poder resolver su programa kármico de un modo afirmado y seguro. Es decir que va a pasar de las incertidumbres, del miedo a vivir sus emociones, de su falta de autoestima, a una posibilidad de encontrar su seguridad afectiva, de afirmarse en su sensibilidad y de aceptarse a sí misma en toda su plenitud e incluso su feminidad.

Este 1 evolutivo que aparece puede ser un gran recurso para animar a María Carolina a trabajar estos aspectos, sabiendo que los puede resolver.

En el aspecto de la creatividad (Casa 3) la Propuesta de Evolución va a ser un 5, es decir que cuando María Carolina sienta que vive su potencial de creatividad o de contactos humanos de un modo fluido o abierto, va a pasar a un período donde necesitará más organización y disciplina en la expresión de sus talentos y en sus relaciones (Habitante 4), para terminar con un Habitante 5 que representa una propuesta de apertura, de liberación de sus capacidades y de sus vínculos.

En el aspecto del trabajo (Casa 4) donde no hay cambio, María Carolina va a seguir afirmándose de un modo independiente y autónomo, pero este Habitante va a evolucionar toda la vida.

Entonces las preguntas pueden ser:

¿Cómo vive hoy su Habitante 1?
¿Cómo lo vivía hace 10 años?
¿Cómo quiere vivirlo en los próximos 10 años?

En el aspecto 5 no hay cambios aparentes, pero el Habitante 3 de los 30 o 60 años no va a ser igual al de la infancia de María Carolina.

En el campo afectivo y emocional (Casa 6), María Carolina pasará de una etapa donde va a necesitar dar mucho amor, tal vez dominando o manejando a los otros debido a su Habitante 1, a una evolución donde va aprender a pedir y a recibir de los demás, y ser mucho más tierna, sensible y flexible a nivel emocional.

En lo que se refiere a su camino intelectual o espiritual (Casa 7), María Carolina tiene una Propuesta de Evolución que parte de un Habitante 2 sensible y receptivo, para llegar a una evolución 3 donde va a necesitar trasmitir y expresar —a través de la palabra o de la comunicación— lo que vive interiormente.

En el aspecto de la administración de sus talentos (Casa 8), el 1 de Base permanece; suponemos que este Habitante va a hacer su propio camino de evolución, probablemente afirmándose más en el transcurso de su vida.

Finalmente el aspecto 9 no cambia; María Carolina va a seguir aparentemente con el mismo Habitante de Base 7; pero ya sabemos que este Habitante realizará su propio proceso evolutivo durante toda la vida.

Además, como un Tema se analiza en forma global e interactiva, no debemos olvidar los mensajes de los Puentes Iniciáticos como "colaboradores" en nuestro proceso de crecimiento.

En este caso, el Puente 2 (9 – 7) le está indicando —claramente— a María Carolina que debe suavizar y flexibilizar su aspecto 7, volverlo más tolerante y permisivo con los demás, para poder alcanzar más rápidamente la apertura al amor universal y al servicio, propios del aspecto 9.

Una vez más, debemos insistir en que éstas son únicamente propuestas de interpretación del camino evolutivo de María Carolina, pero éste es un trabajo intransferible y personal que cada uno debe sentir e interpretar en relación a su propia historia, a su intuición y a sus deseos profundos.

Para ayudarlos a captar mejor el cálculo de la Evolución, vamos a tomar otro ejemplo:

Casas	1	2	3	4	5	6	7	8	9
Habitantes	4	☀	3	1	6	5	1	☀	4
Evolución	6	☀	4	3	7	6	1	☀	4

De nuevo para saber cómo evolucionará en el aspecto 1, voy a la búsqueda de otros Habitantes 1 en la Inclusión de Base.

Encuentro un Habitante 1 en la Casa 4 y otro en la Casa 6, lo que da como evolución: 4 (Habitante de Base) + 2 = **6**.

En el aspecto 2 donde hay un Sol, quiero ver si el proceso evolutivo se va a resolver; busco otros Habitantes 2 y no los encuentro, lo que significa que el Sol del inicio de la vida permanece, pero con la gran posibilidad de llenarlo de luz.

Si no hay un cambio aparente, sabemos que estos Soles representan un programa de trabajo a resolver en esta vida, y que conociéndolo, nos va a permitir resolverlo más rápidamente. Entonces la pregunta podría ser: ¿cómo se siente la persona –en este preciso momento de su vida– con este Sol en la Casa 2?

La respuesta –que sólo ella puede dar– le va a permitir hacer un análisis más afinado de su proceso evolutivo en función de lo ya resuelto.

Si quiero saber hacia dónde va en su propuesta evolutiva en el aspecto 3, voy a la búsqueda de los Habitantes 3 en la Inclusión de Base y encuentro al 3 en su propia Casa, por lo que lo tomo como una unidad adicional: tenemos entonces 3 + 1 = **4**.

Como recordarán, cada vez que encontramos un Habitante en su Casa, hablamos de un *doublet*, por lo que siempre lo vamos a contar como una unidad más.

En el aspecto 4, voy a la pesca de los otros Habitantes 4 y encuentro dos: el primero en la Casa 1 y el segundo en la Casa 9, lo que nos dará 1+ 2 = **3**.

En el aspecto de los desafíos de la Casa 5, voy igualmente a la búsqueda de los Habitantes 5 y encuentro el 5 de la Casa 6, por lo que me dará 6 + 1 = **7**.

A nivel del amor o de la afectividad de la Casa 6, miro si encuentro otros 6 y veo que hay uno en la Casa 5, por lo que la propuesta evolutiva será 5 + 1 = **6**

Si quiero saber si va a evolucionar en el aspecto mental o espiritual de la Casa 7 y no encuentro otros Habitantes 7, significa que el 1 se quedará hasta el final con su propia evolución.

En lo que se refiere al aspecto de la buena administración de sus talentos (Casa 8), donde encontramos un Sol, voy a la búsqueda de otros 8, que no encuentro tampoco. Al igual que en la Casa 2, el Sol permanecerá pero, probablemente, con más plenitud y equilibrio que en los primeros años de vida.

Finalmente, si quiero conocer el tipo de evolución en los aspectos humanistas y de servicio (Casa 9), miro si hay otros Habitantes 9, que no encuentro, por lo que el 4 permanecerá igual con su propio camino evolutivo.

Lo que hemos hecho hasta ahora es un pequeño ejemplo que nos ayuda a familiarizarnos con el mecanismo de cálculo y sobre todo, con la forma de interpretar la evolución.

Propuestas de Evolución estándar

A continuación, les voy a proponer algunas pistas o Propuestas de Evoución estándar que pueden servir de guía. Pero –como ya dijimos–, ésta es una tarea personal, de aproximación y escucha interior que cada uno debe aprehender en función de su propia historia y su propio misterio.

Evolución 1:

Viene después de un Sol. Es una invitación a afirmarse, a posicionarse en el área considerada. La persona puede transformarse en un líder y aprender a manejar su independencia o su autonomía, liberándose de la opinión de los demás, para conducir su propia vida y hacer respetar sus propias decisiones.

Evolución 2:

Es una invitación a desarrollar más sensibilidad o más intensidad en las emociones. Es una sugerencia también a adoptar una actitud más receptiva y más disponible, aceptando colaboraciones, sin miedo a ser manipulado o dependiente de la opinión de los otros.

Es una invitación a funcionar con mayor flexibilidad, dejando aflorar su parte femenina.

Evolución 3:

Es una invitación de apertura a los demás y de desarrollo de los talentos de creatividad y de expresión artística. Puede también ser una invitación a valorizar su imagen pública, haciendo respetar sus propias ideas o su propia inspiración.

Es una evolución donde se puede aprender a disfrutar y a vivir lo cotidiano con alegría.

Evolución 4:

Es una invitación a desarrollar las capacidades de estructuración, de organización con éxito material y con abundancia.

Pero si la encontramos en las Casas 2 o 6, sería más bien una invitación a protegerse más a nivel emocional para no ser tan vulnerable.

Aquí también es importante hacer respetar su propio ritmo y su modo de construir de un modo positivo.

Evolución 5:

Es una invitación a liberarse de las normas o los sistemas, para respirar un aire más liviano. Es un panorama de apertura, de desafíos o de más novedades donde se puede vivir a fondo la aventura de la vida.

Para experimentar esta evolución, es importante dejar de ser dependiente de la lógica o del modo de pensar de los demás, tanto como hacer respetar sus nuevas orientaciones o el manejo de sus energías físicas.

Evolución 6:

Es una invitación a vivir con más ternura y más amor el área considerada y a dejar fluir la necesidad física de expresar los sentimientos. Es una proposición para permitirse mayor bienestar físico, mayor cuidado personal y mayor placer.

Para llegar a esta evolución es importante tomar distancia de los otros, liberándose de los regateos afectivos y haciendo respetar sus sentimientos profundos.

Evolución 7:

Es una invitación a desarrollar las capacidades de análisis, de discernimiento, de sabiduría, con una posibilidad de ampliar los estudios o los conocimientos.

Es un panorama que tiende a la perfección, a la ética y la estética en el área correspondiente.

Esta evolución conlleva una necesidad de soledad, de introspección para liberarse de la dependencia de los códigos morales o espirituales que no corresponden más a su conciencia profunda.

Evolución 8:

Es una invitación a afirmar sus dones, sus talentos y su potencial en el área considerada. Para colaborar en la transformación de la tierra, la persona está invitada a vivir con más energía, más audacia y mayor ambición.

Es una oportunidad de desarrollar su "héroe" interior, evitando ser sumiso a las presiones exteriores o a los juicios de los demás.

Es una posibilidad de realizar con fe y tenacidad las misiones concretas propuestas en este campo.

Evolución 9:

Es una invitación a ampliar la visión global y universal de la vida y de los seres. A abrirse a ideales más vastos, para vivir con mayor humanismo y libertad interior los aspectos considerados. Es una evolución que permite ir al encuentro del inconsciente colectivo y de la compasión, pero con un proceso de discernimiento para liberarse de la culpa, por no poder responder a las necesidades de todos.

Es un camino de sabiduría, de apertura del corazón, de conexión con la Energía Divina para resplandecer e iluminar a los que lo necesitan.

- VI -
INCONSCIENTE

Sé que soy la fuente de todo lo que se presenta en mi vida
y que tengo todo el poder necesario dentro de mí para
generar una vida totalmente satisfactoria.

Antes de entrar en el espacio del inconsciente, me gustaría explicarles el "porqué" de esta propuesta.

Nosotros, seres humanos, podríamos ser comparados a un iceberg, con su punta que emerge, representando el 20% de su Ser, y un 80% inmerso que representa la reserva, lo escondido, lo desconocido que tenemos dificultad para utilizar o aprovechar porque no sabemos que está allí o cómo hacer uso de ello.

Así es que nosotros funcionamos con un 20% a nivel consciente y un 80% a nivel inconsciente. Gráficamente esto se podría representar de la siguiente manera:

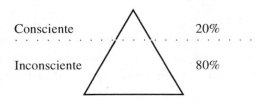

De esta forma, tenemos todo un potencial de dones, de posibilidades de crecimiento, de herencias del pasado con sus buenas experiencias, así como también con sus dificultades y aspectos más oscuros, que subyacen almacenados en el laberinto de nuestro inconsciente.

No es novedad que somos luz y sombra; pero elijo no entrar en estos aspectos oscuros que están ahí y que forman parte –también– de nuestro Ser profundo, porque considero que no corresponden al espacio de la Numerología, sino más bien al de otras especialidades.

Entonces, lo que vamos a hacer ahora es intentar descubrir nuestras dimensiones inconscientes para –poco a poco– dejarlas fluir hacia nuestra zona consciente, permitiéndonos utilizar estas fuerzas y recursos todavía poco conocidos.

En este último siglo hemos ido descubriendo la importancia del inconsciente en el accionar diario, viendo que se manifiesta a través de los sueños, de las pulsiones, de las angustias reprimidas o de los actos fallidos; pero todavía tenemos dificultad para penetrar en nuestras profundidades viscerales.

Podríamos pensar en la imagen de un jardinero que va a incursionar en la parte más alejada y remota de su jardín, para recuperar y cosechar los frutos buenos, desechando la maleza o las plantas venenosas.

Otra imagen posible para entender el inconsciente como una fuente inagotable de recursos, es imaginarlo como un enorme embalse que va vertiendo su caudal en un flujo más o menos amplio, dependiendo de la apertura que le permitamos.

Ésa sería la utilización a nivel consciente. Si conocemos con mayor certeza los tesoros que subyacen en ese embalse, podremos ir abriendo cada vez más "las llaves de paso", haciendo fluir esos recursos interiores y beneficiándonos de ese potencial escondido, que sería una lástima no utilizar.

¿Cómo se calcula?

Para construir la Inclusión del inconsciente, vamos a trabajar con las letras de nuestra identidad, utilizando los Habitantes de la Inclusión de Base, que siguen siendo nuestras herramientas fundamentales.

Volvemos al ejemplo de María Carolina que nos acompaña siempre en este proceso cada vez más profundo.

Vamos a aprovechar esta última etapa, para visualizar en forma conjunta todas las informaciones que hemos venido analizando, a fin de ir trazando una síntesis entre lo que aparece a nivel consciente y lo que subyace a nivel inconsciente.

M A R Í A   C A R O L I N A   P É R E Z   G A R C Í A

CASAS	1	2	3	4	5	6	7	8	9
HABITANTES	6	☉	3	1	3	1	2☉	1	7
INDUCCIÓN	1	☉	3	6	3	6	☉	6	2
	6	☉	3	1	3	1	☉	1	
	1	☉	3	6	3	6	☉	6	
PUENTES	5	-	-	3	2	5	5	7	2
EVOLUCIÓN	9	1	5	1	3	2	3	1	7
INCONSCIENTE	3	1	9	4	9	4	1	4	1

Para saber quién ocupa la Casa 1 de su inconsciente, vamos a ver quién es el Habitante de su Casa 1 en la Inclusión de Base: un 6. Contamos, entonces, las 6 primeras letras de su identidad y la sexta letra nos va a dar el valor del inconsciente. En este caso, encontramos una C que tiene valor 3.

Para saber quién ocupa la Casa 2, a pesar de que en la Inclusión de Base hay un Sol, igualmente contamos 2 letras ya que representa el aspecto 2. Encontramos una A con valor 1.

El Habitante 3 va a corresponder al valor de la tercera letra que es una R cuyo valor es 9.

El Habitante de la Casa 4 donde encontramos un 1 me lleva a la primera letra de su identidad: la M = 4.

En la Casa 5 encontramos de nuevo un Habitante 3, que me lleva nuevamente a una R = 9. El Habitante de la Casa 6 es otro 1 que me lleva otra vez a la primera letra M = 4.

El 2 de la Casa 7, me lleva a la segunda letra A que vale 1.

El 1 de la Casa 8 me lleva de nuevo a la primera letra M = 4.

El 7 de la Casa 9 me lleva a la séptima letra que es la A = 1.

Cuando analizamos el inconsciente es bueno tener presente la Inclusión de la Evolución, porque nuestro inconsciente puede confirmar nuestro proceso evolutivo y ayudarnos a progresar.

Si miramos el potencial inconsciente de María Carolina, encontramos tres veces el 1. El primero se ve detrás del Sol de la Casa 2 y nos confirma su proceso evolutivo; en efecto, vimos que en su Propuesta de Evoución el Sol de la Casa 2 evoluciona en 1 y este 1 del inconsciente nos confirma que tiene una gran fuerza interior o recursos suficientes para afirmarse en esta área de su vida y sentirse segura en su vida afectiva.

Si todavía no arregló sus problemas emocionales, sabe que puede contar con un inconsciente fuerte en este campo, que le permitirá acelerar su proceso evolutivo.

Encontramos el segundo 1 detrás del 2 de la Casa 7. ¿Qué significa esto? Que el 2, en vez de vivirse con vacilaciones o dudas, puede estar sostenido por el 1 del inconsciente que representa una gran independencia o gran seguridad interior, donde María Carolina puede ir a sacar fuerzas cuando lo necesite.

El tercer 1 que encontramos, está en la Casa 9. El Habitante 7 de Base permanece en 7 en la Evolución pero está nutrido por un 1 del inconsciente, lo que confirmaría que el modo de ayudar a la Humanidad o de abrirse a la energía cósmica va a ser de un modo original y totalmente personal.

Si observamos todavía más el inconsciente encontramos tres veces el Habitante 4 detrás de los Habitantes 1 de Base. ¿Cómo interpretarlos? El 4 inconsciente detrás del Habitante 1 de la Casa 4 indica que hay un gran deseo de seguridad material y de raíces bien ancladas en la Tierra, así como un gran potencial de trabajo y de organización, ayudando a María Carolina a afirmarse en su camino sobre la tierra.

El Habitante 4 detrás del 1 de la Casa 6 explicaría por qué María Carolina tiene necesidades profundas de estabilidad y de seguridad afectiva.

El 4 detrás del Habitante 1 de la Casa 8 confirma la fuerza del 4 de la Casa 4, es decir, María Carolina tiene por detrás del deseo de ser reconocida por sus dones y talentos, una gran energía para concretar y organizar, y a la vez un fuerte anhelo de seguridad material y abundancia sobre la Tierra.

Detrás del Habitante 6 de la Casa 1 evolucionando hacia un Habitante 9, encontramos un Habitante inconsciente 3. Vemos que todos estos Habitantes de la Casa 1 tienen el 3 en común: $6 = 2 \times 3$, $9 = 3 \times 3$.

Podríamos interpretar el inconsciente como un gran potencial de comunicación, de contactos humanos y a la vez, una gran reserva de creatividad y de dones artísticos, lo que ya vimos a nivel consciente.

María Carolina puede sacar inspiración de estos recursos inconscientes para afirmar su ego y su identidad.

Los otros Habitantes inconscientes que encontramos son: el 9 detrás del 3 de la Casa 3 y de la Casa 5. Nos confirma el poder creativo de María Carolina, quien posee a nivel inconsciente una posibilidad de conexión con la energía cósmica y una amplitud de conciencia que puede alimentar y sostener su poder creativo.

El 9 de la Casa 5 nos confirma que el 3 de la apertura humana está sostenido o reforzado por una sabiduría innata y un gran deseo de humanismo unido a una apertura del corazón.

Si hacemos la síntesis del inconsciente de María Carolina, nos confirma todavía más sus grandes posibilidades de creatividad y un potencial de amor y servicio hacia los demás. Con una necesidad de ser reconocida y lograr a su vez, su propia seguridad sobre la Tierra.

De nuevo, ésta es una interpretación posible de los Habitantes inconscientes, pero cada uno debe sentir o interpretarlos a su propio modo, a la luz de su propia historia.

Para estar segura de que han captado bien la construcción de la Inclusión del inconsciente, vamos a trabajar sobre otro ejemplo, sin analizarlo.

Tomemòs el caso de

1	6	5	9 3 5	1	5	3 1
C A R L O S		**E N R I Q U E**		**S Á N C H E Z**		**D U R Á S**
3 9 3	1	5 9	8	1 5 3 8	8	4 9 1

CASAS	1	2	3	4	5	6	7	8	9
BASE	6	☀	5	1	5	1	☀	3	4
INCONSCIENTE	1	1	6	3	6	3	5	9	3

El Habitante de la Casa 1 es un 6. Contamos hasta la sexta letra para saber quién ocupa el inconsciente y encontramos una S = 1.

En la Casa 2, donde tenemos un Sol, vamos a la segunda letra que se trata de una A = 1. En la Casa 3 tenemos un Habitante 5, por lo que vamos hasta la quinta letra y encontramos una O con valor 6.

De igual manera, para el 5 de la Casa 5 vamos a tener nuevamente un 6 inconsciente.

En la Casa 4, donde tenemos un Habitante de Base 1, vamos a la primera letra que es C, por lo tanto, el valor es 3 para el inconsciente. Encontramos otro Habitante 1 en la Casa 6, por lo que el Habitante del inconsciente será también un 3.

En la Casa 7, donde tenemos un Sol, contamos hasta la séptima letra y encontramos una E de valor 5. En la Casa 8, donde tenemos un Habitante 3, contamos hasta la tercera letra y encontramos una R de valor 9.

En la Casa 9, donde tenemos un Habitante 4, contamos hasta la cuarta letra y encontramos una L = 3.

Lo que se debe retener de la Inclusión del inconsciente es que siempre encontramos un Habitante detrás de los Soles que corresponden, no al Habitante de Base porque no hay, pero sí al aspecto considerado. Si tenemos Soles en las Casas 4 u 8, vamos a buscar la cuarta letra y la octava de nuestra identidad para encontrar el Habitante del inconsciente.

Por otra parte, supongamos que tenemos 10 letras de valor 1 que se reducen normalmente a 1; en este caso, debemos considerar el número de letras sin reducir e ir hasta la décima letra de nuestra identidad que puede llegar a formar parte de nuestro primer apellido, si es que tenemos un solo nombre de pila.

Ejemplo: Laura Casas Hernández

La décima letra corresponde a la última letra del primer apellido y es una S = 1. El inconsciente de la Casa 1 entonces será 1. Esto puede suceder también con las letras de valor 5, sobre todo en Europa con la E y la N. Si tengo 12 letras de valor 5, igualmente debo utilizar, no un 3 reducido, sino el número que resulte de contar hasta la doceava letra.

Estos Habitantes del inconsciente pueden indicar no sólo un potencial escondido, sino también deseos potentes comprimidos o controlados por la voluntad o la fuerza. Si estos deseos no son escuchados, podemos asistir a una actitud aparentemente opuesta a las propuestas del inconsciente.

Por ejemplo, si tengo un Habitante 6 de Base en la Casa 1, manejo mi identidad y mi ego a través de las emociones, el deseo de amar y de ser amado, y probablemente me dejo manipular por mi sensibilidad.

Si encuentro en mi inconsciente un Habitante 1, es la indicación de que tengo en mí, la capacidad de afirmarme como quiero, de manejar mis emociones sin ser dirigido por ellas y de vivir la armonía de acuerdo con lo que siento mejor para mí.

Pero puede darse también el caso de que no utilice mi inconsciente y actúe completamente al revés de lo descripto anteriormente.

Entonces, vamos a considerar de un modo rápido los mensajes del inconsciente en tanto potencial, analizándolos Casa por Casa. Pero una vez más, reitero que es fundamental que cada uno haga un trabajo de introspección para sentir qué mensajes le está revelando ese Habitante del inconsciente.

Sugiero para eso las siguientes preguntas:

¿Cómo lo utilicé hasta ahora?

¿Cómo lo puedo utilizar desde ahora para sacarle mejor provecho?

Respuesta: pensando que es una herramienta de gran riqueza que me puede ayudar a vivir mejor a nivel consciente.

Mensajes inconscientes

Mensajes inconscientes del 1

CASA 1:

Deseo de afirmación, de asumir la parte masculina, de tomar decisiones con autoridad o de ocupar una posición de líder.

CASA 2:

Deseo de dirigir las emociones tomando las iniciativas, indicando un potencial de fuerza emocional o de liderazgo en la pareja.

CASA 3:

Deseo de imponer su propio estilo y su creatividad, con un potencial de autonomía e independencia en sus relaciones humanas.

CASA 4:

Deseo de ser reconocido como líder, a nivel profesional, y de ocupar un lugar importante en la historia familiar.

CASA 5:

Deseo inconsciente de ser el rebelde o el revolucionario que quiere vivir sus propias experiencias o lanzarse solo a la aventura.

CASA 6:

Anhelo de poder manejar su vida sentimental y tal vez la de los demás, tanto como de vivir firmemente el placer y el bienestar.

CASA 7:

Capacidad de hacer su propio camino a nivel intelectual, mental y espiritual, así como un deseo inconsciente de ser reconocido como el mejor.

CASA 8:

Deseo de imponerse gracias a sus dones y sus talentos, con estatura de héroe y gracias a su eficaz estrategia.

Casa 9:

Deseo de ayudar de un modo independiente, de destacarse "del pelotón" con la capacidad de ser una luz y un guía para los demás.

Mensajes inconscientes del 2

Casa 1:

Potencial de vivir su identidad o su ego con dualidad y escucha, quizás dejándose manipular por el otro por falta de seguridad o autonomía.

Casa 2:

Potencial de vivir con más intensidad las emociones y las intuiciones, con el deseo de encontrar la simbiosis con la pareja o en los vínculos con los otros.

Casa 3:

Deseo de abrirse a las relaciones humanas con intuición y disponibilidad para ayudar al otro, unido a un potencial de creatividad sensible.

Casa 4:

Potencial de encontrar sus raíces a través de la sensibilidad, la diplomacia, junto con un potencial de receptividad a nivel profesional o de conciliación a nivel familiar.

Casa 5:

Deseo de escuchar sus emociones o de dar crédito a su sensibilidad antes de lanzarse a los desafíos, así como la posibilidad de asociarse para el emprendimiento de nuevas aventuras.

Casa 6:

Deseo inconsciente de fusión o de simbiosis a nivel emocional con una gran ternura y disponibilidad afectiva. Gran potencial de brindar amor de un modo maternal y protector.

Casa 7:

Potencial de recibir a nivel espiritual y mental, y deseo inconsciente de vivir este camino con sensibilidad y emoción.

Casa 8:

Potencial de descubrir los talentos y dones a través de la escucha interior y de la intuición, tanto como un deseo de concretarlos con diplomacia y flexibilidad.

Casa 9:

Deseo de vibrar a nivel universal, abriéndose a la energía cósmica con un potencial de humanismo guiado por la ternura y la sensibilidad.

Mensajes inconscientes del 3

Casa 1:

Deseo de ser reconocido por el padre, de afirmar su propia imagen, unido a un potencial de creatividad y expresión artística.

Casa 2:

Deseo de ser reconocido por la madre, de expresar su sensibilidad y sus emociones, junto con un potencial de gran intuición y fineza.

Casa 3:

Deseo de dejar aflorar el niño interior, de exteriorizar la creatividad y la originalidad de un modo sensible.

Casa 4:

Deseo de poner fantasía en la vida cotidiana, de ser creativo a nivel profesional, de expresar lo "no dicho" de la historia familiar y de hacer renacer las tradiciones.

Casa 5:

Deseo de expresar los aspectos no conformistas, de abrirse a la belleza de la vida con un potencial de humor y entusiasmo.

Casa 6:

Deseo de vivir el amor de un modo abierto y alegre. De compartir la ternura con los otros y el potencial de creatividad para expresar la sensibilidad de un modo original.

Casa 7:

Deseo de expresar sus ideas y demostrar sus conocimientos, así como trasmitirlos a través de una enseñanza colorida y original.

Casa 8:

Deseo de afirmar y exteriorizar sus dones y talentos, a fin de ser reconocido y admirado por los demás.

Casa 9:

Potencial para abrirse al amor universal y al servicio de la Humanidad con un deseo de compartir sus ideales con los demás.

Mensajes inconscientes del 4

Casa 1:

Deseo de estructurar su modo de afirmar su identidad con una necesidad de protección (sobre todo de la autoridad paternal), de control, con un potencial de realización y edificación para ser reconocido.

Casa 2:

Deseo de controlar las emociones, de protegerse (sobre todo de la autoridad maternal) con aspiraciones a concretar los sueños afectivos.

Casa 3:

Deseo de dar una imagen que inspire confianza y seguridad, de proteger al niño interior vulnerable y frágil. Potencial de concretar sus dones artísticos.

Casa 4:

Deseo de ser el guardián de las tradiciones familiares y de proteger el patrimonio, unido a la necesidad de tener sus raíces bien establecidas con seguridad y abundancia. Con una capacidad de concretar sus proyectos con perseverancia y tenacidad.

Casa 5:

Deseo de ser tranquilizado frente a los cambios o desafíos. De protegerse de pulsiones sexuales y de poner frenos a su propia libertad. Con una facultad de concretar en terrenos nuevos, pero con prudencia y sentido común.

Casa 6:

Deseo de controlar los sentimientos, tal vez de protegerse de los demás, como forma de dar más seguridad a las relaciones afectivas. Con un poder latente de concretar materialmente el servicio y el amor a los demás.

Casa 7:

Deseo de sentirse amparado y conforme con sus conocimientos o sus principios. Con la posibilidad de concretarlos y de reproducir programas familiares o culturales.

Casa 8:

Deseo de construir con perseverancia y paciencia, afirmando su potencia, respetando las normas y las tradiciones.

Casa 9:

Deseo de concretar el servicio y la ayuda humanitaria; de tener su seguridad en el seno de un grupo; con gran capacidad de controlar los sueños y el mundo imaginario.

Mensajes inconscientes del 5

Casa 1:

Deseo de tomar riesgos y de salir de los caminos habituales para afirmar su identidad con audacia, y tal vez liberándose de la imagen del padre.

CASA 2:

Deseo de explorar sus emociones, de dejarlas fluir libremente, con necesidad de cortar con los deseos ambivalentes y con las paradojas interiores.

CASA 3:

Deseo de descubrir otros caminos de expresión o de vinculación a nivel de relaciones humanas. Con la capacidad de liberar su creatividad y su palabra sin tener miedo de molestar o de provocar.

CASA 4:

Deseo de revolucionar los marcos de vida, las estructuras convencionales. Con una facultad de innovar y encontrar otros rumbos profesionales, tomando distancia de las normas familiares.

CASA 5:

Deseo de explorar nuevas pistas mentales o de lanzarse a aventuras o experiencias con curiosidad, audacia y energía vital, a la vez que un deseo de vivir una sexualidad más libre.

CASA 6:

Deseo de experimentar otras formas de amor o de bienestar. Deseo también de vivir la ternura de un modo más libre y tal vez con más diversidad y aventura.

CASA 7:

Deseo de encontrar nuevos caminos intelectuales y de preconizar teorías reformadoras o revolucionarias. Con ganas de liberarse de los dogmas o condicionamientos mentales.

CASA 8:

Deseo de tomar riesgos para afirmar su poder con audacia y energía, viviendo el sentido de la justicia y con ganas de vivir su héroe interior.

CASA 9:

Deseo de abrirse a nuevos caminos, a horizontes inexplorados o a nuevas dimensiones más allá de las fronteras conocidas. Con una posibilidad de conexión más libre con la energía universal.

Mensajes inconscientes del 6

CASA 1:

Deseo de afirmar su ego a través de la armonía, de la ternura, con el objetivo de ser reconocido.

CASA 2:

Deseo de vivir las emociones con armonía, con dulzura, encarando la relación con el otro de un modo tierno. Con la necesidad de reconciliarse consigo mismo.

CASA 3:

Deseo de expresarse con el cuerpo y los sentidos, de comunicar el calor humano y el amor a través de los gestos, los contactos corporales. Deseo de celebrar el placer de vivir.

CASA 4:

Deseo de vivir la paz y el amor en los ámbitos laborales o profesionales, tanto como en la familia. Con la necesidad de sentirse protegido, de vivir en un ambiente cálido y confortable.

CASA 5:

Deseo de vivir la libertad con armonía y bienestar. De teñir la sexualidad con mayor ternura, de agradarse a sí mismo a través de nuevas experiencias y ser agradable con los demás de un modo más cálido.

CASA 6:

Deseo de vivir las emociones y el amor con intensidad; con un anhelo de fusión amorosa, experimentando el placer, la ternura y el "soltar" con toda confianza.

Casa 7:

Deseo de transmitir mensajes de amor o de armonía. Con el anhelo de vivir el camino intelectual o espiritual a través de la sensibilidad, las emociones y la búsqueda de la belleza.

Casa 8:

Deseo de afirmar sus dones por el camino de la ternura, con sensibilidad y benevolencia. Con la capacidad de reconfortar y proteger al otro, dejando fluir una gran capacidad de servicio y amor.

Casa 9:

Deseo de vivir el amor universal, incondicional e infinito. Con sueños de prodigar ternura y bienestar a toda la Humanidad. Con un gran deseo de caridad y armonía, puestas al servicio colectivo.

Mensajes inconscientes del 7

Casa 1:

Deseo de tomar distancia y de aislarse del mundo para reflexionar y ser capaz de afirmarse de un modo más austero y exigente.

Casa 2:

Deseo de controlar la sensibilidad o las emociones, poniéndolas al servicio de normas éticas o estructuras mentales. Necesidad de vivir más a nivel sentimental frente a sí mismo o frente al otro.

Casa 3:

Deseo de purificar las relaciones con los otros tanto como su imagen personal, para integrar dimensiones más profundas. Capacidad de progresar en su creatividad, definiendo criterios más elevados.

Casa 4:

Deseo de conocer e investigar para fortalecer su lugar en la Tierra. Deseo de analizar la historia familiar para entender sus orígenes, logrando reafirmar sus referencias.

CASA 5:

Deseo de vivir la libertad o la búsqueda de cambios con mayor discernimiento y selectividad, dedicando tiempo a la introspección. Deseo de planificar o controlar los riesgos, con tendencia a priorizar los impulsos intelectuales.

CASA 6:

Deseo de analizar y de entender las motivaciones amorosas, los sentimientos; con una necesidad de controlar la sexualidad y dar un sentido al placer, enmarcándolo en ciertas pautas.

CASA 7:

Deseo inconsciente de saber todo y entender todo, de vivir retraído en su propio mundo para poder reflexionar y meditar en silencio, creciendo interiormente lejos del "mundanal ruido".

CASA 8:

Deseo de planificar todo tipo de realización o emprendimiento. De analizar y sopesar cada etapa antes de afirmar sus talentos. Con necesidad de comprender el proceso de alquimia en su vida.

CASA 9:

Deseo de entender el mundo imaginario e inconsciente, de estudiar las leyes universales. Deseo de nuevas normas espirituales, producto de enseñanzas establecidas o fruto de la propia reflexión personal en contacto con la sabiduría revelada.

Mensajes inconscientes del 8

CASA 1:

Deseo de utilizar sus talentos para imponerse y afirmarse con la ambición de ser reconocido en toda su potencia.

CASA 2:

Deseo de vivir las emociones de un modo poderoso, con una tendencia a proteger al otro o tal vez manipulándolo para que se adapte según su voluntad o sus aspiraciones.

CASA 3:

Deseo de afirmar su potencia con creatividad y a través de los contactos humanos. Con la capacidad de realizar grandes obras artísticas y de ser reconocido por su originalidad.

CASA 4:

Deseo de concretar su potencia en base a la estrategia y la organización, preservando el patrimonio o los bienes materiales. Con la facultad de lanzarse a la conquista de nuevos proyectos.

CASA 5:

Deseo de luchar con su fuerza y energía para alcanzar nuevos desafíos, para revolucionar los sistemas. Con la posibilidad de transformar llegando a ser un inventor genial.

CASA 6:

Deseo de conquistas afectivas o de relaciones amorosas, donde poder dominar o proteger, afirmando su autoridad. Ansias de concretar proyectos para la armonía y el bienestar de la Humanidad.

CASA 7:

Deseo de imponer su estrategia o manifestar su potencia a través de sus conocimientos y su discernimiento. Tal vez con la necesidad de hacerse valer por su *curriculum* o sus diplomas.

CASA 8:

Deseo de dominar a los otros o de imponer su autoridad a todos los niveles, con el anhelo de ser un héroe justiciero que viene en auxilio de todos. Con el riesgo de llegar a ciertos excesos tiránicos.

Casa 9:

Deseo de utilizar todos sus talentos y capacidades al servicio del bien de la Humanidad, para contribuir a la construcción del futuro, colaborando con la transformación de la Tierra. Deseo de emprender obras de alcance y dimensiones universales.

Mensajes inconscientes del 9

Debemos tener en cuenta que las propuestas del 9 son más importantes que las de los demás números, ya que justamente la energía del 9 se vincula estrechamente con el universo del inconsciente.

Casa 1:

Deseo de abrirse a la Energía Universal para volverse una luz para los demás, con la intención de servir y ayudar a la Humanidad.

Casa 2:

Deseo de un gran ideal sentimental con el propósito de abrir su corazón a la Humanidad y de relacionar a las personas y a los grupos, obviando fronteras o características que puedan desunir.

Casa 3:

Deseo de lograr una comunicación universal, con un lenguaje humanista y colectivo. Con el anhelo de conectarse con la creatividad y la energía cósmica.

Casa 4:

Deseo de concretar los sueños de un mundo mejor, con la capacidad de construir estructuras colectivas que ayuden a la Humanidad a progresar.

Casa 5:

Deseo de ver más allá de las fronteras o de los límites humanos. Con capacidad para participar audazmente en los cambios colectivos y en la evolución del Planeta.

CASA 6:

Deseo de transmitir mensajes universales de amor y compasión, con una gran capacidad para brindarse en pos del bienestar colectivo o contribuir con el advenimiento de una sociedad más pacífica, servicial y equilibrada.

CASA 7:

Deseo de ayudar a los demás a despertar espiritualmente, con la posibilidad de participar en la toma de conciencia planetaria o en la transmisión de conocimientos nuevos, vinculados a mensajes del inconsciente, capaces de alimentar a una Humanidad nueva en gestación.

CASA 8:

Deseo de transformar sus intuiciones o su ideal de servicio en realizaciones concretas al servicio del hombre, con grandes capacidades para emprender acciones a nivel humanitario y colectivo.

CASA 9:

Deseo de servir, de ser un despertador de conciencia a nivel comunitario, de transmitir mensajes de paz y amor universal. Con capacidad de descifrar el universo de los sueños y de canalizar la Sabiduría revelada para acompañar a la Humanidad en su proceso evolutivo.

- VII -
TRÁNSITOS NUMEROLÓGICOS

No tengo por qué apresurarme.
El tiempo trabaja a mi favor.
Con la ayuda de Dios, todo se arregla de forma
apropiada y perfecta para mi gran bien.
Permanezco tranquilo, lleno de confianza,
y me tomo el tiempo de celebrar la perfección
del momento presente con serenidad y alegría.

Los invito ahora a un viaje por las Grandes Vías o Tránsitos de nuestra vida, donde llevaremos la Inclusión de Base y toda su información como equipaje.

En esta ocasión les presentaré estos Tránsitos Numerológicos a modo de introducción, ya que es mi intención desarrollarlos con mayor profundidad en un próximo libro.

Andaremos juntos, entonces, descubriendo estas tres grandes vías:

A. Camino de Vida
B. Ciclos
C. Realizaciones

En el destino nos aguardan los Desafíos, un portal que sin duda amerita el viaje.

A - Camino de Vida

Cuando volvemos a la Tierra, escogemos no solamente la familia dentro de la cual queremos desarrollarnos y "trabajar" las áreas programadas, sino también nuestra fecha de nacimiento, que es la que va a determinar nuestro Camino de Vida.

Este Camino de Vida –CV de ahora en más– viene a ser como una ruta iniciática, un itinerario particular para hacer avanzar o progresar nuestro vehículo en evolución, permitiéndonos a través de él, mejorar lo que ya fue trabajado en vidas anteriores.

Existen 12 Caminos de Vida; del 1 al 9 más los Números Maestros, 11, 22 y 33.

El valor del CV se calcula con la suma vertical y horizontal de los datos de nacimiento. El hecho de que la suma sea vertical está simbolizando al hombre, de pie entre el Cielo y la Tierra, y a su vez la suma horizontal representa su impronta a nivel de la Tierra.

Este sistema nos permite ir viendo –en forma individual– cuáles son los números que van integrando la suma y retener sus mensajes por separado, en ambos niveles. Fundamentalmente, hay que prestar mucha atención a las dos cifras finales, ya que nos proporcionan información especial, en el sentido de que son las que nos permiten captar globalmente el CV.

Por ejemplo: María Carolina nació el 22 de junio de 1985; su CV por lo tanto va a ser:

Mes   06
Día   22
Año   <u>1985</u>
        2013 $= 2 + 0 + 1 + 3 = 6$

En este CV 6, las dos últimas cifras desde la derecha son el 3 y el 1. En este caso su recorrido será a través del 3 que es creatividad y contactos humanos junto con elementos del 1, como el deseo de afirmarse y ser reconocida.

Algo que no debemos olvidar es que no hay unos Caminos de Vida mejores que otros. Todo va a depender del "cristal" con que se mire.

Cada CV tiene sus riquezas y sus trampas. Tenemos la libertad de optar por aquellos aspectos que coincidan con nuestra visión o con nuestras proyecciones personales. Es por eso que dos personas con el mismo CV van a vivirlo de un modo diferente. Esto forma parte del misterio de cada uno, con todo el bagaje que ha adquirido en sus vidas pasadas.

Algunos CV parecen más fáciles que otros, pero esto es sólo una ilusión; y nuevamente –como a lo largo de todo un Tema– recordamos que no debemos "poner etiquetas" precipitadamente o de forma superficial a los números, a sus mensajes, o a la persona.

El CV puede plantear este tipo de preguntas: "Tú eres un 6... ¿qué significa?".

Hay tantos mensajes desconocidos y escondidos detrás de esto, que nos obligan a entrar en el misterio del otro con prudencia y mucho respeto.

Lo importante en un CV es lograr vivirlo con equilibrio y encontrar la felicidad a través de lo que nos propone, ya que por algo es "el nuestro": el que elegimos recorrer en esta vida.

Este CV se debe relacionar directamente –en la Inclusión– con el Habitante de la Casa correspondiente, ya que es lo que lo va a personalizar, aportándole sus matices e indicándonos con mayor precisión, el modo en que lo vamos a vivir.

Por ejemplo, en el caso de María Carolina, vive su Camino de Vida 6 con el Habitante 1 en la Casa 6 de la Inclusión. Es decir que probablemente, su CV se va a desarrollar con ternura, sensibilidad, sentido del servicio y de ayuda, pero el Habitante 1 le va a aportar su determinación y su deseo de ser reconocido.

Debemos prestar atención para ver si encontramos o no este número del CV en otras Áreas Claves del Tema. Si aparece en puntos como el Alma, el Número de Fuerza o la Misión Cósmica, significa que nos va a resultar más sencillo transitarlo, que vamos a descubrir sus riquezas con mayor facilidad y a poder soportar mejor sus pruebas.

Si no estuviera en las Áreas Claves, habría que fijarse dónde

encontramos otros 6 entre los Habitantes de la Inclusión o los períodos de vida.

Dicho esto, vamos ahora a presentar algunas pistas para interpretar los diferentes Caminos de Vida, relacionándolos siempre con
los otros datos del Tema.

Camino de Vida 1

Este itinerario nos invita a desarrollar en nuestra vida, la acción
independiente, la autonomía de vuelo, la afirmación y la aceptación
del rol de líder, encarándolo con audacia y determinación.

Se invita a la persona a utilizar esta ruta para trabajar su sentido
de la iniciativa, del mando, del poder de convocatoria para abrir nuevos caminos, motivando al resto de las personas que la siguen y man-
teniéndose, a la vez, dueña del "timón" contra viento y marea.

Un camino donde la carrera para ser el primero tiene gran importancia, tanta como el deseo de ser reconocido por sus rendimien-
tos y sus perfomances.

El camino de un guía, de un pionero, de un luchador; el del
joven caballero que se lanza a la batalla de la vida con energía, pero
deseando a la vez dejar sus huellas en esta Tierra.

Recomendaciones:
- No tener miedo de avanzar solo y de posicionarse en "ciertas
  alturas".
- No dejar de lado todo aquello que pueda reforzar la confianza
  en sí mismo, su capacidad de intervención y la fuerza de sus
  decisiones.

Este CV se debe relacionar –evidentemente– con el Habitante
que ocupa la Casa 1 de la Inclusión; asimismo, debemos ver si encontramos otros números 1 en el Tema u otros números portadores
de la misma energía Yang, afirmados como el 5 y el 9.

Camino de Vida 2

Es una invitación a avanzar por la vida, asociándose con los demás.

La relación con la madre está en primer plano y puede ser útil clarificar las reproducciones del modelo materno, si hay identificaciones o rechazos de éste.

Esta ruta iniciática nos sugiere estar dispuestos a recibir los consejos de los demás y volvernos, al mismo tiempo, un consejero intuitivo y un delicado confidente en relación al otro.

Se invita a la persona –durante su trayecto– a desarrollar su sentido de apertura hacia los demás y hacia sí misma, a dejar fluir su imaginación y su romanticismo en la búsqueda de su "alma gemela", la cual ocupará un lugar privilegiado.

Debe aceptar cumplir con su papel de conciliador, de intermediario, de la "Eminencia Gris", quien, gracias a su intuición y su fineza, puede transformar a la gente de su entorno y las circunstancias, con diplomacia y suavidad.

Un camino donde la paz y la armonía interior pueden contribuir a que la persona se transforme en un mensajero de ternura y serenidad.

Recomendaciones:
- No tener miedo de su sensibilidad o de sus emociones, tratando siempre de equilibrarlas.
- No dudar de sí mismo; confiar en su propia fuerza interior y liberarse así del sostén o de la mirada del otro.

Debemos relacionar este CV con el Habitante de la Casa 2 en la Inclusión, y ver en qué otros lugares lo encontramos presente.

Camino de Vida 3

Este itinerario nos invita a progresar por medio de las relaciones humanas y la comunicación interpersonal.

Nos sugiere desarrollar nuestro potencial de expresión propia, junto con nuestra originalidad creativa.

Es una invitación a optimizar el sentido de la animación, del humor, de la alegría de vivir, contagiando optimismo y entusiasmo a los que nos rodean.

Un camino donde las aptitudes musicales, literarias o pictóricas deben ser desarrolladas.

El encanto personal, la necesidad de brillar, de ser reconocido y amado por su público forman parte del entorno, tanto como la extroversión y la elocuencia.

Se invita a la persona a cuidar su propia imagen para obtener la aprobación de los demás. Puede volverse un artista famoso, un genial publicista o un animador de gran talento. Los "medios" son sus herramientas privilegiadas.

Recomendaciones:

- No tener miedo de relacionarse con los amigos y hacer fructificar estos contactos.
- No titubear en lanzarse a todos los campos de creatividad y expresión personal para valorizarse.
- No olvidarse de su "niño interior", portador de impulsos espontáneos, frescos y llenos de optimismo.

Este CV se debe relacionar, obviamente, con el Habitante de la Casa 3 y con los otros 3 del Tema, para ver cómo se lo vive.

Camino de Vida 4

Es un itinerario donde se progresa de modo lento pero seguro, con método, tenacidad y determinación en el aspecto material y las obras concretas.

Para este camino las sugerencias son: desarrollar el poder de realización y la capacidad de compromiso personal, poniéndolos al servicio de construcciones sólidas y estables.

Se invita a la persona a utilizar esta ruta para evidenciar su sentido del deber, del trabajo bien hecho. Un camino de perseverancia, de paciencia, hecho de minucia y seriedad para llevar a cabo los proyectos concretos, con mesura y responsabilidad.

Invitación también a trabajar sobre sus raíces, sus herencias psicológicas y familiares, para encontrar su verdadero rol en la genealogía de la familia.

Puede ser el camino de un artesano genial, de un hábil constructor, de un realizador productivo o de un agricultor constante y fiel, que goza de sus contactos con la Madre Tierra.

Recomendaciones:

- No tener miedo de liberarse de la rutina, de hacer a un lado los apegos materiales limitantes.
- No vacilar en abrir los muros demasiado rígidos, evitando quedarse prisionero de normas o frenos indeseables.

Este Camino de Vida debe vincularse con la Casa correspondiente y los otros 4 que aparezcan en el Tema.

Camino de Vida 5

Es una invitación a avanzar de un modo movedizo y flexible, a progresar con rapidez en las formas de adaptarse o de posicionarse.

En este CV se deben desarrollar la independencia, la libertad, lanzándose sin titubear a nuevos riesgos o desafíos para modificar los hábitos.

Se invita a la persona a utilizar este camino para poner en evidencia su sentido del análisis, sus capacidades de investigación en múltiples áreas. Un camino con muchos cambios, que el ser deberá aprovechar como un trampolín para evolucionar y liberarse de viejos esquemas perimidos. Para satisfacer esta curiosidad insaciable y sus constantes y variados interrogantes, debe aceptar las reglas de un juego móvil, con giros vertiginosos y eventos sorprendentes.

Una trayectoria que puede ser la del aventurero intrépido, la del investigador talentoso y osado, o la del revolucionario, apasionado y anticonformista.

Recomendaciones:

- No debe tener miedo de estabilizar este torbellino personal con disciplina física y espiritual, para evitar las trampas del 5, a saber:
  - Exceso de riesgos o desafíos temerarios.
  - Impulsos demasiado veloces, que dispersan.

- Descuidar el autoanálisis, que es el único medio para depurarse, podarse y así liberarse interiormente.

Se debe relacionar este CV con la Casa 5 de la Inclusión y con los restantes puntos en los que aparezca en el Tema.

Camino de Vida 6

Es un itinerario para progresar de un modo apacible, favoreciendo la armonía interior y la paz entre las personas.

En este camino se aconseja desarrollar contactos equilibrados, relaciones teñidas de tolerancia y ternura.

Se invita a la persona a utilizar este camino para evidenciar su sentido de la concordancia, de la belleza y de la conciencia ecológica.

Un camino donde las posibilidades creativas así como la apertura del corazón ocupan un lugar especial: decoración, artes plásticas, cuidados del cuerpo, servicio y atención a los demás.

Un recorrido donde se deben vivir las responsabilidades humanas, familiares y afectivas, tanto como el saber dar y recibir.

Todo este ambiente con matices de amor, ternura, tibieza y calidez humanos se apoya en la necesidad de ser protegido física y afectivamente.

Este camino puede ser la ruta de un pacifista, de un especialista del bienestar, del pintor o el cantante geniales, que pueden alcanzar una posición social elevada si tienen confianza en sí mismos.

Recomendaciones:
- No tener miedo de dejar fluir su intuición, para darle un mayor sentido a su vida.
- No titubear en vivir con amor, con ternura y con afecto, como las verdaderas fuentes que nutren este camino.

Se debe relacionar con los otros 6 que aparezcan en el Tema y con el Habitante de su Casa correspondiente, en la Inclusión.

Camino de Vida 7

Es un itinerario donde se progresa desde la introspección, la reflexión y la sabiduría, vividos en espacios de silencio y soledad.

En esta ruta iniciática, se deben desarrollar las capacidades mentales y la experiencia mística.

Se invita a la persona a utilizar este recorrido para evidenciar su alto sentido estético, su sentido de la perfección y de lo sagrado, con miras a una mayor elevación espiritual y a un dominio personal más consciente y profundo.

Un camino donde las posibilidades de estudio, de conocimiento, de adquisición de enseñanzas, se ubican en primer plano, así como todo lo relacionado con la sabiduría.

Un trayecto en el cual se debe avanzar con perseverancia, solidez, fe y compasión, evitando abstraerse demasiado o encerrarse en su "torre de marfil".

Puede ser la vida del gran pensador, del profesor competente y erudito, del místico, del esteta amante de la belleza.

Recomendaciones:

* No tener miedo de posicionarse según sus propias convicciones o sus planteos psicológicos, filosóficos o espirituales.
* Probar confrontar sus ideales con sus exigencias materiales, para evitar olvidar sus raíces terrenales.
* Reequilibrar, de vez de cuando, la mente con los impulsos del corazón o los requerimientos del cuerpo.

Este CV se debe relacionar con los otros 7 presentes en el Tema y con el Habitante de esta Casa, en la Inclusión.

Camino de Vida 8

Es un itinerario donde se progresa con lucidez, ambición y audacia, sin miedo a involucrarse en la batalla de la vida terrenal y material.

En esta ruta iniciática se deben vivir a fondo las facultades de realización, de fructificación y de administración de los talentos.

Se invita a la persona a utilizar este recorrido para evidenciar su sentido de la estrategia, su poder de acción, para encontrar su verdadera fortaleza interior. Está llamada a actuar con justicia y equidad, quizás a veces con pasión y vehemencia con objeto de lograr un ascenso social o espiritual.

Puede ser la trayectoria del financiero sagaz, del político carismático, del economista de vanguardia, del general algo tiránico, del director de fábrica o del héroe, defensor de los más débiles.

Recomendaciones:

- No tener miedo en lanzarse totalmente a este *rally* de la vida, aprovechando las lecciones de experiencias pasadas y afirmándose con su potencia y su fuerza de realización.
- No dudar en expresar sus elecciones o sus posturas sin descuidar la importancia de las relaciones humanas, vitales para no bloquear la circulación de las energías.
- Poner todo al servicio del desarrollo de sus talentos, con miras a la transmutación de la Tierra para poder así relacionar el "arriba con el abajo".

Este camino se debe vincular con los otros 8 presentes en el Tema y con el Habitante de la Casa correspondiente en la Inclusión.

Camino de Vida 9

Es una invitación a la generosidad, al servicio desinteresado, a la amplitud de conciencia hacia horizontes de universalidad, de ideal, de amor sin fronteras.

En esta ruta iniciática se debe aprender a desarrollar la comprensión de los otros, así como la tolerancia y la compasión.

Un recorrido que invita a la acción humanitaria o humanista, siempre en función del bien común.

Puede ser la trayectoria de un idealista, de un mediador espiritual a la escucha del mundo y sus necesidades. Es un camino de sabiduría, de paz, de bondad, pleno de esperanza y de fe.

Recomendaciones:

- Para evitar las trampas del 9, la persona debe empezar por ayudarse a sí misma antes de ir a salvar al otro; necesita mantener su propio equilibrio con sus pies bien plantados en la tierra, para evitar los posibles "despegues".
- No debe tener miedo de captar e incorporar los mensajes de desamparo, pero cuidando de no transformarse en "una esponja" que absorbe toda la miseria del mundo.

Se debe relacionar este CV con los otros 9 presentes en el Tema y con el Habitante de la Casa correspondiente, en la Inclusión.

Camino de Vida 11/2

Este camino está relacionado con el 2 y se podrá vivir a nivel del 11 únicamente si la persona llevó a cabo, con anterioridad, un trabajo sobre sus emociones, sus tomas de conciencia, una "limpieza" de su comportamiento psicológico y espiritual. Todo esto vinculado, especialmente, con su modo de vivir sus valores femeninos.

Es un itinerario donde se progresa con fuerza y maestría, impulsado por una intuición profunda y una inspiración creativa.

Se invita a la persona a utilizar este camino para mejorar sus capacidades de transmisor espiritual, de mensajero liberador; capaz de revelar los misterios de la existencia y ayudar a los otros en su camino de evolución.

Es un camino de gran responsabilidad interior y de comunicación con los planos superiores, desde donde la persona debe dejar pasar poderosas energías vitales.

Recomendaciones:

- No tener miedo de estar a la escucha de su voz interior.
- Practicar la relajación física y respetar los ritmos del cuerpo, para evitar una sobrecarga de tensión y agitación interior.

Camino de Vida 22/4

Está íntimamente relacionado con el 4 y, al igual que el 11/2, se puede llegar a vivir a nivel de la vibración Maestra sólo si ya se trabajó en las áreas del 4. O sea, su lugar genealógico y sus raíces familiares, su modo de vivir lo cotidiano, lo concreto, su facultad de trabajar la tierra para generar la abundancia.

Las bases deben ser poderosas para aguantar este 22, donde se debe llevar el control con una conciencia clara y una mirada luminosa.

Es un itinerario donde se progresará con maestría y lucidez, con una intuición rayana en lo genial, que ayuda a la persona a concebir proyectos notables y a lanzarse a obras de gran alcance.

Un camino donde surgen realizaciones ambiciosas, compromisos audaces y productivos, siempre puestos al servicio de la comunidad.

Recomendaciones:
- No tener miedo de lanzarse o de tener ambiciones elevadas.
- Controlar periódicamente sus energías para no caer en estados de agotamiento físico y mental.
- No dejar de lado sus emociones, por estar excesivamente volcado a lo concreto.

Camino de Vida 33/6

Por el momento se lo considera como un camino 6, dado que, de acuerdo con su nivel de evolución, la humanidad, en los comienzos del 2000, todavía no está preparada para vivir esta vibración en su plenitud, que es el Amor total e incondicional.

B - Ciclos

Podríamos definirlos como grandes paisajes de progresión. Hay tres grandes Ciclos de Vida que representan ayudas o propuestas, a disposición del peregrino que somos durante el tránsito por esta vida.

Ofrecen tres grandes escuelas de vida, necesarias para ayudarnos a afinar nuestro potencial "de partida", perfeccionar nuestros dones y permitirnos avanzar de modo óptimo.

Son también tres grandes posibilidades de ampliar el campo de la conciencia en las áreas propuestas por cada Ciclo.

Son tres ambientes propicios al desarrollo de las riquezas interiores y del empeño personal en el camino de la evolución.

La duración de cada Ciclo varía según el Camino de Vida, pero a *grosso modo* podemos decir que el Primer Ciclo dura 30 años, el Segundo va desde los 30 a los 50 años y el Tercero desde los 50 hasta la muerte.

El pasaje de un Ciclo a otro se hace progresivamente, como una mezcla de matices diferentes.

Forma de calcularlos:

Primer Ciclo: corresponde al mes de nacimiento reducido, por lo que se llama Ciclo de Formación.

Segundo Ciclo: corresponde al día de nacimiento reducido, por lo que se llama Ciclo de Producción.

Tercer Ciclo: corresponde al año de nacimiento reducido, por lo que se llama Ciclo de Cosecha.

Interpretación de los Ciclos

Estas interpretaciones son válidas si se aplican a los Habitantes de la Inclusión o a otros datos del Tema. El número de un Ciclo no describe lo que va a pasar durante ese período en términos de "predicción", sino que más bien es una indicación a descubrir riquezas interiores o a desarrollar dones y talentos más específicos.

Estos Ciclos permiten vivir mejor el "aquí y el ahora" con su plenitud. Son cuadros para lograr una progresión y un empeño más verdadero y luminoso.

Ciclo 1

Es una invitación a posicionarse mejor, a desarrollar su autonomía, a dejar emerger sus proyectos personales. Es un período donde la persona puede actuar con más dinamismo y energía. Una etapa donde encontrarse con su fuerza interior, afianzando la seguridad en sí mismo. Es una escuela para conocer más su "líder" interior y descubrir su propia identidad.

Ciclo 2

Es un momento donde la persona puede prestar más atención a sus emociones y a su intuición. Es un período donde puede ir al encuentro de su sensibilidad interior y, tal vez, la oportunidad de vivir una vida afectiva más armoniosa.

Es un espacio con colores pastel, donde predominan la flexibilidad y la receptividad, la escucha de su "voz interior".

Es un momento ideal para desarrollar sus cualidades Yin (femeninas) o el aspecto "femenino" de uno mismo.

Ciclo 3

Durante un Ciclo 3, se puede aprender a no depender tanto de la aprobación de los demás y a tomar conciencia de su propia imagen social.

Es un período donde la persona puede recuperar o encontrarse con su "niño interior" y permitirle expresar con espontaneidad su optimismo y su alegría de vivir.

Es también un período propicio para la revelación de sus dones artísticos o de los talentos para la comunicación y las relaciones humanas. Es una etapa de la vida que se puede aprovechar para aplicar su capacidad creativa a nivel espiritual y vivencial.

Este Ciclo está más orientado al desarrollo de los recursos personales de expresión y comunicación.

Ciclo 4

Durante el tránsito de este Ciclo, se puede aprender a ubicarse más en los diferentes marcos de vida, ya sean la estructura familiar o su lugar en el árbol genealógico, los encuadres profesionales, su puesto en el mundo y también aprender a habitar su cuerpo de una manera mejor, escuchándolo y prestándole atención.

Es el momento preciso para hacer un balance de estos diferentes marcos, que regulan su vida. Por otra parte, este período puede ser oportuno para trabajar –en forma liberadora– sobre los miedos o las herencias limitativas que traban su accionar.

Es un período propicio para organizar mejor su vida cotidiana y aprovechar al máximo sus capacidades de organización, así como la administración de los propios recursos.

Este Ciclo es una invitación a encontrar su "tierra madre" y a conocer mejor sus raíces. Tal vez, es la oportunidad de limpiar todo el bagaje familiar que nos toca asumir, transformándolo y reciclándolo.

Es un momento orientado hacia el desarrollo personal con mejor aprovechamiento de sus bases, con una conciencia más lúcida, con los pies firmes sobre la tierra, fortaleciendo con emprendimientos sólidos la vida material, profesional y afectiva.

Ciclo 5

Durante este Ciclo la persona debe aprender a manejar mejor sus energías física y sexual, a liberar tensiones interiores, para lograr un mejor equilibrio.

Es un período para vivir experiencias, aventuras y riesgos nuevos para afirmar su Ser verdadero.

Es un momento para poner a prueba sus capacidades analíticas y de investigación.

Es una invitación a la movilidad, a los cambios y viajes, evitando a su vez caer en las trampas de un exceso de actividad o de dispersión.

Ciclo 6

Este pasaje es una invitación a tomar confianza en sí mismo, a creer en la vida, el amor, la armonía y la belleza.

Es un período para otorgarse permiso para "soltarse", para disfrutar del bienestar y del relax, para abrirse a la curación y a la luz interior. Para vivir también la entrega a la vida, al amor a sí mismo y a los demás.

Es un momento para dar cabida al sentido de compartir, de la conciliación, de todo lo relacionado con los dones de expresión corporal y afectiva.

Es una escuela orientada a la apertura del corazón y al protagonismo de los valores u aspectos femeninos, priorizando el **ser** sobre el **hacer**, favoreciendo la búsqueda de la armonía y el amor más que el conocimiento o el saber.

Un ciclo donde predominan los sentimientos, el calor humano y el placer.

Ciclo 7

Durante su pasaje, debemos aprender a tomar conciencia de los mecanismos humanos para entender más nuestras estructuras mentales; la relación entre nuestro camino mental y espiritual.

Es un momento de la vida para interiorizarse, para tomar distancia de los ruidos externos, para dar espacio a lo luminoso que está dentro de nosotros.

Es un período propicio para el estudio, la enseñanza que nos habilita para clasificar y hacer un balance de nuestros conocimientos.

Es una invitación a volver a la historia familiar con sus modelos de comportamiento.

Es también una escuela psicológica, filosófica y mística, orientada hacia la integración del saber, aprovechando un despertar de la conciencia y de la apertura espiritual.

Ciclo 8

Durante este período, la propuesta es aprender a encontrar la propia fuerza interior y manifestarla con seguridad.

Es un período ideal para utilizar la propia energía y el poder de realización.

Es una buena ocasión para materializar las esperanzas, para lanzarse a misiones nuevas y llevar a cabo producciones sólidas. Es también una invitación a realizar el potencial y a cosechar los diferentes talentos.

Este Ciclo es una escuela exigente pero apasionante, para desarrollar sus capacidades de estrategia, de construcción, de realización a nivel material, para concretar al máximo las posibilidades en todos los niveles.

Ciclo 9

Es un momento de la vida para aprender a ampliar los horizontes de conciencia y orientarse hacia un camino más universal y humanista. Es un período ideal para afinar la sensibilidad en relación a los mensajes de desamparo y a las necesidades de ayuda hacia los más carenciados.

Durante este período, se puede uno embarcar en movimientos de ayuda social o humanitaria, desarrollando un ideal colectivo y una visión más global de las cosas.

Es una invitación a dejar más espacio al hemisferio cerebral derecho, a prestar atención a los dictados de la intuición, a la capacidad de interpretar los símbolos, a la posibilidad de síntesis y al conocimiento revelado.

Es el momento para irradiar la luz interior y para vivir en unión con la energía cósmica.

Es una escucha orientada hacia el desarrollo de una conciencia planetaria sin fronteras, ni tabúes sociales o culturales, ampliando los grandes espacios creativos.

Ciclo 11/2

Este Ciclo propone las características de un Ciclo 2, pero complementadas por los mensajes del 11. Es un período ideal para autorizarse a ser un canal para las energías de curación o la enseñanza espiritual.

Es un momento propicio para el despertar interior, donde conviene "limpiar" de prejuicios nuestra mente para permitirle realmente oficiar de conductor de otras enseñanzas.

En este Ciclo se debe trabajar sobre las emociones y la relación con la madre. Es un período de desarrollo especial donde el Ser puede servir de guía y de luz –a modo de un faro– en la evolución de los demás. Es también un período óptimo para el desarrollo del carisma personal y de las facultades psicológicas, tanto como de la fuerza interior.

Ciclo 22/4

Este Ciclo toma en consideración los mensajes de un Ciclo 4, complementado por la propuesta del 22. Es un período especial para desarrollar el potencial de "gran constructor" y lanzarse a ambiciosos proyectos al servicio de la evolución colectiva, con una conciencia universal y humanista.

Durante este periodo se debe estructurar el camino y estabilizar sus raíces sobre la Tierra.

Es una escucha excepcional centrada en el desarrollo de las posibilidades de edificaciones globales o de invenciones sorprendentes.

Ciclo 33/6

Toma las propuestas del Ciclo 6 pero a un nivel más elevado. Los mensajes están marcados por dos veces 3. Es un Ciclo de contactos humanos, de relacionamiento, de necesidad de comunicación, de deseos de expresión y valorización personal.

Período particular para dejar emerger al guía interior y transformarse por la fuerza del amor en una luz para los que lo rodean. Lapso ideal para brindarse con más ternura y calor humano.

Es una gran escuela de amor incondicional y de "compartir espiritual", en sintonía con los Maestros y los guías espirituales.

C - Las Realizaciones
Grandes escenarios educativos

Después de haber considerado las grandes escuelas de vida, o las grandes líneas de progresión del Ser, descriptas por los Ciclos, vamos a ver de un modo más preciso las propuestas para actuar o realizarse de un modo tangible a lo largo del Camino de la liberación interior.

Los Ciclos nos indican grandes matices o escenarios de nuestra vida, pero las Realizaciones describen, de forma más clara, los cursos a seguir o las clases propuestas durante estas escuelas de vida.

Especifican el tipo de acciones o comportamientos, o las pistas de apertura hacia las cuales sería bueno orientarse o embarcarse.

Hay 4 realizaciones que corresponden a los grandes Ciclos de Vida: la primera Realización acompaña el Ciclo de Formación; las dos Realizaciones siguientes acompañan el Ciclo de Producción, que representa normalmente el momento más intenso de nuestra vida adulta, y una última Realización para todo el fin de vida, acompañando el Ciclo de Cosecha.

Todas estas informaciones se deben relacionar, evidentemente, con la Inclusión de Base o los datos del Tema.

Estas Realizaciones representan indicaciones para tal vez afinar, mejorar o trabajar ciertos aspectos de nuestro Ser.

Puede suceder que tengamos 3 o 4 veces el mismo número de Realización. Esta repetición no es casual y debe ser interpretada como una interpelación o una invitación a trabajar especialmente estas propuestas.

Durante estos intervalos, debemos concretar, afirmar y abrirnos a todos los dones o riquezas profundas ofrecidos durante este período, correspondiendo a un momento preciso de nuestra vida, con el Ciclo representado como un telón de fondo.

Si la Realización y los Ciclos de Vida tienen el mismo valor, significa que es una invitación particular a reforzar las solicitaciones o la importancia de estos mensajes evolutivos.

Tenemos de ambos lados, el mismo color, la misma vibración a la cual le debemos prestar especial atención, tratando de entenderla e interpretarla en sintonía con los otros datos del Tema.

Una vez más, recordemos que cada uno es totalmente libre de seguir o no estas propuestas o estas invitaciones hacia el camino de la progresión.

Cada uno tiene la libertad de buscar o no el modo de mejorarse, de abrir un poco más su conciencia sobre ciertos aspectos de la vida.

Los Ciclos y Realizaciones invitan, a veces, a no esquivar ciertas problemáticas o a enfrentar, de una buena vez, viejas confrontaciones nocivas. Sugieren no escapar a ciertas tomas de conciencia, encarar los obstáculos para encontrarse mejor a sí mismo y amarse más.

Estas Realizaciones son como oportunidades para liberar y desarrollar nuestros tesoros interiores, durante nuestro camino de progresión.

La duración se calcula de este modo:

- La primera Realización corresponde al Ciclo de Formación y dura: 36 menos el Camino de Vida. Por ejemplo, si tenemos un Camino de Vida 5, la primera Realización durará 36 – 5 = 31, es decir hasta los 31 años.
- La segunda Realización, que corresponde a la primera fase del Ciclo de Producción, dura 9 años más.
- La tercera, que representa la segunda parte del Ciclo de Producción, dura 9 años más.
- La cuarta Realización dura hasta el final de nuestra vida; es decir, el tramo más largo.

El pasaje de una Realización a otra se hace siempre durante un Año Personal 9, cuando finaliza un Ciclo Personal (informaciones que figurarán en un próximo libro).

El valor de las realizaciones se calcula de este modo: sumando los diferentes Ciclos:

- La primera Realización es la suma del mes + el día de nacimiento, o del Ciclo de Formación + el Ciclo de Producción.
- La segunda Realización es la suma del día + el año de nacimiento reducido, es decir el Ciclo de Producción + el Ciclo de Cosecha.
- La tercera Realización es la suma de las 2 primeras Realizaciones, reducido.
- La cuarta Realización es la suma del mes + el año de nacimiento, es decir el Ciclo de Formación + el Ciclo de Cosecha.

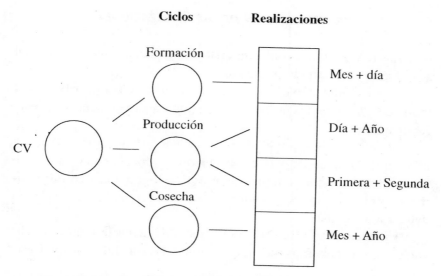

Con el ejemplo de María Carolina Pérez, nacida el 22 de junio de 1985, podríamos representarlo de este modo:

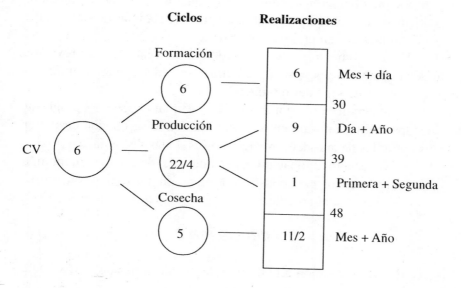

Interpretación de las Realizaciones

Las realizaciones son como materias especiales que nos invitan a progresar de un modo particular.

No nos indican lo que va a pasar durante este período, pero sí el modo en que podemos utilizar de la mejor manera el mensaje de esta Realización.

Si encontramos, por ejemplo, una Cuarta Realización 11/2, significa que durante este período, la persona podrá conectarse más con su sensibilidad y con su intuición profunda, logrando una espiritualidad más elevada, que le permitirá –a su vez– recibir "de arriba" para ayudar a los demás.

Entonces, vamos a ver ahora el mensaje de las diferentes Realizaciones, que debemos relacionar siempre con el Habitante de Base.

Realización 1

Es una invitación a seguir las lecciones del 1. Es decir, aprender a afirmar su posición personal, a emprender acciones autónomas, a tomar iniciativas en la dirección propuesta.

Es un momento de la vida propicio para lanzarse a proyectos independientes o nuevos emprendimientos; tal vez, para asumir sus capacidades de ser líder o pionero.

Es una realización donde se puede afirmar el ego para progresar personalmente; un momento de la vida donde se pueden despertar sus aptitudes de autodeterminación o sus dones de "guía".

El Ser está invitado a utilizar su potencial de acción, autonomía, o de fuerza interior, para construir de un modo positivo, y construirse a sí mismo verdaderamente.

Realización 2

Es una invitación a participar de las lecciones del 2. Es decir, aprender a sentir, a escuchar, a abrirse al otro.

En este período, las emociones o intuiciones dominan lo mental, al mismo tiempo que el desarrollo del hemisferio derecho (femenino) se vuelve más importante que el del cerebro izquierdo (masculino).

Se vive más a nivel del corazón y de los valores femeninos de: receptividad, serenidad, bondad y dulzura. Es también un momento propicio para trabajar la relación con la madre o el arquetipo maternal.

Un período de la vida donde se puede despertar a una energía portadora de paz y esperanza.

Realización 3

Es un período durante el cual hay que vivir las lecciones del 3. Es decir, explorar las formas de expresión personal, de comunicación o de creatividad. Es un momento de la vida en que se puede reencontrar "su niño interior".

Se puede aprender también a descubrir la alegría y el disfrute de la vida, tanto como la expresión de lo Divino en sí mismo.

Es un período durante el cual se puede iluminar la vida con más fantasía, más color, más entusiasmo.

El Ser está invitado a "imponer" su propio estilo y a encontrar su camino luminoso para conocerse, sin depender de la aprobación o del reconocimiento de los demás, llegando finalmente a amarse tal como es.

Realización 4

Es una propuesta para vivir las lecciones del 4. Es decir, aprender a encontrar su lugar en los diferentes marcos de vida y tenerse confianza para construir obras sólidas y estables.

En este escenario, se da la prioridad al modo de ubicarse en su esquema familiar, marco profesional o el modo de "habitar" su cuerpo, sin olvidar relacionarse con sus raíces genealógicas.

Es un momento favorable para "encarnarse" con los pies bien firmes sobre la Madre Tierra, para estar de pie listo a progresar en el camino de la vida, utilizando todas las herramientas que tenemos a disposición.

Es un período donde lo Divino puede manifestarse en lo cotidiano, donde el Cielo se puede nutrir de las energías de la Tierra.

Un período que ofrece la posibilidad de construirse de un modo lúcido, leal y animoso, tanto como de ubicarse frente a las normas, de acuerdo con su propia verdad interior.

El Ser está invitado a considerar su trabajo como un camino para nutrir su cuerpo y su mente, colaborando al mismo tiempo con la transformación de la Tierra.

Realización 5

Es una invitación para participar en las lecciones del 5. Es decir, aprender la movilidad y a lanzarse a la aventura de la vida sin miedo a los cambios, a los riesgos o desafíos que liberan el cuerpo y la mente.

Es un momento para trabajar la circulación de sus propias energías y el modo de manejarlas.

Durante este período –que facilita los razonamientos cartesianos o los laberintos analíticos propios del 5– se debe recurrir a las fuerzas "de arriba" y conectarlas con las fuerzas de la Tierra.

Esta realización es una interpelación a encontrar "el hombre" en sí y a hacerlo atravesar las diferentes experiencias de la vida.

Es una progresión para viajar interiormente y descubrir otros mundos liberadores.

El Ser está invitado a dar vida a esta "estrella de cinco puntas", a relacionar la luz con la sombra y a otorgarse la libertad de ser más libre consigo mismo.

Realización 6

Es una invitación para participar en las lecciones del 6. Es decir, aprender a descubrir el amor hacia sí mismo y en sí mismo, para permitir el nacimiento del amor hacia los demás.

En este escenario son prioritarios el servicio, el compartir con los otros, así como el respeto propio y de los demás.

Es un momento privilegiado para trabajar la serenidad, la ternura, la armonía física, y dejar expresar el amor, el Sol divino presente en el centro de nuestro propio cuerpo.

Durante esta realización debemos encontrar también nuestra parte femenina, seamos hombre o mujer, y dejarla fluir con paz y serenidad.

Podemos también desarrollar nuestro potencial maternal hacia nosotros mismos (es decir, consentirnos como lo haría una madre) y hacia los demás, siempre con miras a una evolución y un equilibrio más armonioso y suave.

Podemos orientarnos hacia una relación profunda entre lo Divino y lo femenino, trayendo a nuestra vida amor, seguridad y paz.

Realización 7

Es una invitación a participar en las lecciones del 7. Es decir, aprender a clasificar, a organizar sus conocimientos y a lanzarse a estudios intelectuales o espirituales.

Son prioritarias la reflexión, la introspección y la toma de conciencia, tanto como la armonización del "saber" con la apertura espiritual.

Durante este período podemos efectuar un trabajo a nivel de la relación entre el "saber" y el "poder".

Es decir, entender que no somos propietarios de nuestro conocimiento, sino únicamente los depositarios del "Conocimiento" y que podemos también recibir y aprender mucho de los demás.

Por otra parte, la necesidad de meditación y de reflexión, que aparece en esta etapa de la vida, no debe aislarnos o hacernos creer que somos superiores o mejores a los otros.

Esta Realización nos permite conectarnos con nuestra vida espiritual profunda para relacionarla con "lo humano", y elevar cada vez más nuestras exigencias de perfección y de encuentro con nuestro "Maestro interior".

Realización 8

Es una invitación a participar en las lecciones del 8. Es decir, aprender a imponerse en la batalla de la vida con sus propios recursos, sus armas y su potencia; a comprometerse con su propia evolución y a desarrollar su poder de estrategia.

En este momento es prioritario el reconocimiento de los talentos personales para utilizarlos con discernimiento, afirmando así su potencia física, material, mental y espiritual.

Esta Realización ofrece la ocasión de manifestar nuestro poder de alquimia, es decir, la capacidad de transmutación de la Tierra gracias a los talentos recibidos y que "devolvemos arriba", transformados.

No debemos olvidar que el "8" es un armonizador de energías cósmicas.

El Ser está invitado a afinar su estrategia de acción y de realización, frente a sí y al mundo. Es un período propicio para encontrar "su héroe" interior y dejarlo alzarse sobre las resistencias internas, rebasando sus propios límites y abriéndose a una conciencia más amplia y luminosa.

Realización 9

Es una invitación a participar en las lecciones del 9. Es decir, a emprender realizaciones sociales o colectivas. Son prioritarios el desarrollo de nuestra conciencia humanista, así como una visión global y planetaria de las cosas o de la vida.

Durante esta Realización debemos aumentar nuestra disponibilidad hacia los demás, junto con la capacidad de captar sus mensajes, estando en sintonía con nuestro inconsciente y con los dictados del inconsciente colectivo.

Podemos también aprender a integrar nuestro potencial imaginario con las exigencias humanas, ayudando a los demás sin olvidar ayudarnos a nosotros mismos, para evitar caer en una abnegación excesiva.

Es un período especial para desarrollar nuestra intuición, dándole la bienvenida a ideales más elevados de conciencia o de amor universal, que nos permitan acceder a un plano de sabiduría y de luz liberadora, propios de quien entra en contacto con la Energía Divina.

Realización 11/2

Es una invitación a participar en las lecciones del 2 y del 11. Como paso previo para acceder a las propuestas del 11, debemos realizar un trabajo de limpieza de nuestras emociones y del temor a "recibir".

Es un período propicio a la escucha interior y a la receptividad espiritual. Es una interpelación apasionante para desarrollar nuestras capacidades de telepatía y carisma personal, orientados a despertar las conciencias, facilitando la evolución sobre la Tierra.

Durante esta Realización, estamos invitados a ponernos al servicio de planos más elevados, volviéndonos casi "canales" que permitan fluir mensajes espirituales luminosos, destinados al bien común.

Es un período de la vida favorable para la ampliación de las facultades espirituales, los dones de sanación o de la ayuda a distancia.

El Ser está llamado a desplegar su rol de mensajero divino, siendo el encargado de transmitir sus conocimientos como regalos de la "Luz", enviados por Dios para despertar a la Humanidad.

Realización 22/4

Es una invitación a vivir las enseñanzas del 4 y luego del 22. Por eso debemos, en primer lugar, apuntar a la organización, al establecimiento de fundamentos sólidos, logrados en base a un trabajo metódico, de estructuración, para preparar el terreno del 22.

Durante este período podemos desarrollar este potencial de invención, de construcción y de realización a gran escala, sin olvidarnos de orientar los proyectos al servicio de la humanidad.

Para dejar emerger estas vibraciones de alto nivel, debemos antes efectuar una purificación espiritual y energética, que nos permitirá favorecer la transmutación de la Tierra.

Así, el Ser está invitado a colaborar con el Plan Divino, a embarcarse en proyectos ambiciosos al servicio de la apertura de conciencia y de la progresión colectiva.

Realización 33/6

Esta Realización es una invitación a participar en las enseñanzas del 6. Es decir, a trabajar la armonía del corazón y del espíritu para permitir la germinación del "guía universal" que corresponde a la vibración 33.

Esta Realización se puede efectuar sólo a través de la comunicación con nuestros Maestros interiores, quienes pueden abrirnos a un plano de conciencia más elevado y a un desempeño desinteresado, puestos al servicio de la evolución espiritual de la humanidad.

Estos milagros de generosidad, gratuidad y amor universal van a ocurrir cuando nuestra alma esté lista y fecundada por el Amor ilimitado de Dios para todas sus criaturas.

- VIII -
Los Desafíos

Me atrevo ahora y me comprometo
a tomar todos los riesgos necesarios
para que se manifiesten completamente
todas mis cualidades.

A partir de los Ciclos de Vida, podemos descubrir cuáles son los desafíos a enfrentar durante nuestra vida.

Estos desafíos ponen el acento sobre ciertos obstáculos que se presentan durante nuestro progreso personal y que vamos a tener que atravesar.

Estas pruebas van a ser –en cierto modo– las lecciones de nuestra iniciación. Debemos, entonces, tomar conciencia de sus contenidos para poder integrarlos mejor y aprender.

En realidad, los desafíos serían como los "tests" o exámenes que tenemos que pasar durante un cierto período de nuestra vida o durante toda nuestra existencia.

Estos desafíos que vamos a descubrir pueden corresponder a la falta de una cualidad o también a su exceso. La dificultad radica en encontrar el equilibrio justo de estos mensajes para evitar caer en la insuficiencia o en la exageración.

De todos modos, los desafíos son como grandes indicaciones para lograr resolver –del mejor modo posible– nuestro camino de iniciación y mejorar nuestras cualidades y nuestra toma de conciencia.

¿Cómo se calculan?

Con los datos de nacimiento, es decir con los Ciclos de Vida, que vimos en el capítulo precedente:

Los Desafíos menores

El primero (1Dm) va a afectar nuestro primer período de vida (hasta aproximadamente los 42 años).

Se calcula con la diferencia entre el mes y el día de nacimiento, o la diferencia entre el Ciclo de Formación y el Ciclo de Producción.

Si tomamos el ejemplo de María Carolina, que nació el 22 de junio de 1985, su primer Desafío (1Dm) va a ser el mes menos el 22, reducido; o sea $6 - 4 = 2$.

Esto significa que hasta los 42 años, María Carolina debe trabajar los aspectos del 2. Recordemos que en su Casa 2 tiene un Sol, por lo que este Desafío coincide y reconfirma la importancia de trabajar la sensibilidad, las emociones y la autoestima.

Como siempre, a la hora de interpretar la información brindada por los Desafíos, ésta se debe relacionar con los Habitantes de Base y los otros datos del Tema, teniéndose en cuenta que la persona es una totalidad.

El segundo Desafío menor (2Dm) va a concernir nuestro segundo gran período de vida, de los 42 años hasta el fin de nuestra existencia. Se calcula con la diferencia entre el día y el año de nacimiento, los dos reducidos, que corresponden a los grandes Ciclos de vida, Producción y Cosecha.

Para María Carolina, su día de nacimiento es $22 = 4$ y su año $1985 = 23 = 5$, su segundo Desafío va a ser $5 - 4 = 1$. Es decir que a partir de los 42 años debe trabajar todos los aspectos del 1, o sea, enfrentar la necesidad de afirmarse en la vida. Si vamos a mirar el Habitante de la Casa 1, que es un 6, nos indica que esta afirmación pasa por el amor, la armonía y la ternura.

Desafío Mayor

El tercer Desafío es el Desafío Mayor (DM) que dura toda la vida, y corresponde al problema más difícil de resolver o a aquellos aspectos que nos van a exigir mayor esfuerzo.

Se calcula con la diferencia entre los dos Desafíos menores. Para María Carolina tenemos: el primer Desafío menor 1Dm = 2; el segundo Desafío menor Dm2 = 1; la diferencia va a ser 2 – 1= 1; es decir que su DM, para toda la vida, va a ser reconocerse y afirmarse como es y luchar por eso.

Vamos a representar gráficamente los Desafíos de esta manera:

(Caso de María Carolina)

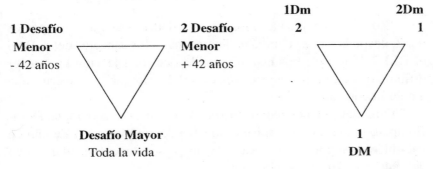

1 Desafío Menor
- 42 años

2 Desafío Menor
+ 42 años

Desafío Mayor
Toda la vida

1Dm
2

2Dm
1

1
DM

Podemos encontrar diferentes casos que pueden sorprendernos. Por ejemplo, si tenemos dos Desafíos menores (Dm) iguales, el Desafío Mayor (DM) va a ser igual a 0.

Es decir, si tengo los mismos Desafíos menores (Dm), significa que toda mi vida tendría que trabajar estos aspectos, lo que correspondería al mensaje de un Desafío Mayor (DM).

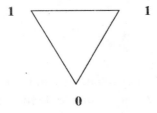

1   1

0

No es raro encontrar que los Desafíos corresponden –habitualmente– a los Soles de la Inclusión. Y justamente confirman la urgencia de trabajar el aspecto señalado. Si alguien tiene un 2 con Sol y encuentra los Desafíos siguientes:

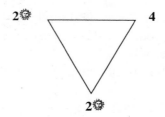

Eso significa que hasta los 42 años deberá trabajar los aspectos del 2, después tal vez deberá dedicarse más a los aspectos del 4. Pero el DM 2 (con Sol) nos está indicando que toda la vida va a tener dificultades en vivir bien los aspectos del 2, lo que le requerirá una atención constante.

Otro ejemplo posible: puedo encontrar que no hay ningún Desafío aparente, si tengo el mismo número de día, de mes y de año de nacimiento. Supongamos el caso de una persona nacida el 14 de mayo de 1940. Sus Desafíos van a ser:

- Primer Desafío menor (1Dm):   Mes − día = 5 − 5 = 0
- Segundo Desafío menor (2Dm): Día − año = 5 − 5 = 0

La figura gráfica va a ser

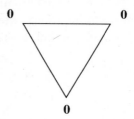

Eso significa que la persona probablemente deba trabajar todos los aspectos de su Ser o aquél que le da más dificultad, para progresar con la plenitud del cero detrás, ya que representa la Nada y el Todo posible.

Otra posibilidad: solamente uno de los Desafíos menores es 0; el Desafío Mayor será el mismo que el Desafío menor. Significa que esta persona debe trabajar los aspectos del Desafío menor toda su vida.

Ejemplo:

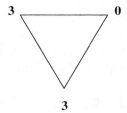

Si tengo un 2 con Sol y lo encuentro como Número de Alma y como Primer Desafío menor, es una señal importante de que son justamente los aspectos del 2 los que debo trabajar más a fondo, para permitir que aflore mi Alma 2.

Normalmente, los Desafíos que tenemos son de una lógica perfecta y corresponden a áreas de nuestro Ser que debemos pulir con más aplicación.

Además, recordemos que un Desafío sigue su propio proceso evolutivo como los otros datos del Tema.

Si tenemos por ejemplo, un Desafío Mayor 1, no lo vamos a vivir de igual manera a los 15 que a los 50 años.

Igualmente, los debemos asociar con nuestros Tránsitos Numerológicos: Camino de Vida, Ciclos y Realizaciones.

De todas formas, pongamos un ejemplo: si tengo un Ciclo de Formación 4 y un Primer Desafío menor 4, es la confirmación de que es, sobre todo durante este preciso período de mi vida, cuando debo trabajar el aspecto de mis raíces en la Tierra.

Una vez más esta información de los Desafíos va a suponer por nuestra parte un trabajo introspectivo, para saber si me están indicando una carencia o una debilidad que debo colmar, o por el contrario un exceso que debo manejar con más sabiduría y discernimiento.

Si bien en todas nuestras interpretaciones hemos insistido en prestar atención a la presencia o ausencia cuantitativa de los números, basándonos en la Inclusión de Base, esta noción de "cantidad" se debe –más que nunca– flexibilizar al máximo a la luz de la intuición.

Únicamente cada uno –en sintonía consigo mismo– debe determinar si la vibración del número marcado por el Desafío corresponde a aspectos a fortalecer o bien a desbordes a encauzar.

Tal vez encuentren que me repito, pero es muy importante que cada uno sienta en su Ser profundo lo que estos mensajes significan. Si los tenemos, no es por casualidad, y debemos entender el "porqué", para ayudarnos a superar las dificultades que se presentan.

Aspectos de cada Desafío

Vamos a ver ahora cada uno de los Desafíos, tratando de determinar de qué lado está nuestro obstáculo.

EL DESAFÍO DEL 0

Ya vimos anteriormente cuáles pueden ser los casos posibles y diferentes en que aparece esta situación. La interpretación es clara: es una invitación a ir de la Nada a lo Todo posible, sin caer en la trampa de los excesos.

EL DESAFÍO DEL 1

Si la percepción es de carencia, esto significa que la persona tiene dificultad para tenerse confianza, para afirmar su lugar o su puesto en el mundo. Le cuesta vivir la independencia y la autonomía; por lo que en este caso del Desafío 1 es una invitación a trabajar en el fortalecimiento de la voluntad para lograr ser reconocido tal **como es**, o para poder actuar de un modo más individual.

Si en cambio, lo sentimos desde el exceso, el Desafío 1 se vuelve una indicación para disminuir el deseo de imponerse a los demás, de limitar los impulsos agresivos para progresar.

En este caso, sería una invitación a minimizar el egoísmo y las tendencias despóticas.

EL DESAFÍO DEL 2

Si la percepción es de carencia, este mensaje significa que la persona debe aprender a confiar en sí misma o en el otro; a poder cooperar sin miedo, a utilizar sus dones de diplomacia, de escucha y de intuición.

Por el contrario, si lo sentimos desde el exceso, el Desafío indica que no se debe contar tanto con los demás para decidirse o para actuar. La persona debe luchar contra la tendencia a la sumisión excesiva o la facilidad para dejarse manejar por los otros, sin reaccionar por exceso de timidez.

El Desafío sería una invitación, entonces, a fortalecer y dinamizar los aspectos del 2, sin caer en la dualidad o la pasividad.

EL DESAFÍO DEL 3

Si la percepción es de carencia, el Desafío 3 significa que hay que aprender a expresarse ya sea a nivel artístico o humano, a comunicarse con los demás a través de la amabilidad, la jovialidad y, tal vez, el sentido del humor.

Pero sobre todo indica una necesidad de aprender a disfrutar el ahora de la vida y del presente.

Por el contrario, si lo sentimos desde el exceso, es probablemente una señal de que se debe evitar ser el "centro de atención"; que la persona debe aprender a vivir consigo misma, sin la necesidad de exponerse permanentemente a la aprobación o al reconocimiento de los demás.

Debe también disminuir el snobismo o la superficialidad, evitando, tal vez, la dispersión e intentando contactarse más con su Ser interior.

EL DESAFÍO DEL 4

Si la percepción es de carencia, el Desafío 4 es una propuesta para aprender a trabajar de un modo más metódico, con organización y perseverancia, gracias a la seriedad y la disciplina.

Es una invitación también a "arremangarse" y construir sólidamente sus raíces y su estabilidad sobre esta Tierra.

Por el contrario, si lo sentimos desde el exceso, es una sugerencia a no entrar en la obsesión del trabajo, a no exigir tanto, a nivel de responsabilidades, a los demás o a sí mismo.

Es una invitación a no entramparse en lo material, o en los miedos de la carencia o la falta económica; a dejar la pequeñez y las manías de lado, tomando distancia y utilizando sus facultades de síntesis.

El Desafío del 5

Si la percepción es de carencia, se debe aprender a tener una mayor movilidad, a integrar flexiblemente los cambios, a aceptar los riesgos y aventuras sin tener miedo a abrirse más a nivel mental o adoptar otros esquemas. En resumen, a vivir con más amplitud la libertad.

Si por el contrario, lo sentimos desde el exceso, el consejo es aprender a controlar los impulsos o la impaciencia; a manejar con más sabiduría su libertad y a refrenar su tendencia a la inestabilidad o al cambio.

La persona debe aprender a no embarcarse en experiencias que pueden ser peligrosas o de alto riesgo. En fin, debe intentar domar ese "caballo intempestivo y fogoso", que desborda energía física e intelectual.

El Desafío del 6

Si la percepción es de carencia, se debe practicar el sentido del amor, de la tolerancia, o del servicio. La persona debe aprender a dar con generosidad, a brindarse con mayor ternura, sin esperar nada a cambio, libre de ideas o de miedos preconcebidos.

Debe también aprender a confiar en sí misma, a consentirse y a cuidarse cariñosamente, así como a aceptar las responsabilidades, sin quejarse o sin escapar de ellas.

Si, por el contrario, lo sentimos desde el exceso, el Desafío 6 está señalando la necesidad de no cargarse demasiado con las responsabilidades afectivas (ya sea con la familia o con los amigos) por miedo a no ser amado.

Es una sugerencia a saber discernir el modo de ayudar o de servir más efectivo, sin caer en "sacrificios", renunciando a sí mismo frente a los demás, o con frases como "yo no valgo la pena".

Es una invitación, finalmente, a controlar su vulnerabilidad, sus sentimientos, su necesidad de saberse amado, así como su tendencia a la indolencia o la búsqueda excesiva del confort o del placer sensual.

EL DESAFÍO DEL 7

Si la percepción es de carencia, se debe aprender a trabajar a nivel interior, a encontrar su camino espiritual a través de la toma de conciencia o de la reflexión personal. También es una sugerencia a utilizar más sus capacidades mentales para investigar o estudiar.

Si, por el contrario, lo sentimos desde el exceso, es una propuesta para disminuir el nivel de exigencia consigo mismo, para salir de su mundo interior y abrirse a los demás, bajando más a nivel de las cosas materiales.

Es una invitación a descender de las alturas "de su torre de marfil" para compartir benévolamente con los demás, la vida social y familiar, abandonando una actitud de reserva y frialdad.

EL DESAFÍO DEL 8

Si la percepción es de carencia, se debe aprender un buen manejo de sus talentos, tanto como la administración de los recursos materiales.

La persona se debe lanzar más a realizaciones concretas para afirmar su poder de alquimia sobre la Tierra.

Si, por el contrario, lo sentimos desde el exceso, el Desafío es una indicación a controlar sus deseos de poder, de ambición o de búsqueda de provecho. Es una invitación a dominar sus tendencias intolerantes, el orgullo desmedido y una excesiva omnipotencia.

EL DESAFÍO DEL 9

No existe, porque es imposible.

- IX -
CRUCES DE LIBERACIÓN

Mi camino está libre de obstáculos inútiles.
Recibo una ayuda poderosa procedente
de los mundos visibles e invisibles.
Soy libre de jugar el gran juego de la vida y
puedo aportar mi contribución al mundo de la alegría,
del humor y del amor.

Me gustaría ahora presentarles las dos Cruces de Liberación que representan la síntesis del camino que hicimos hasta ahora; un camino donde descubrimos poco a poco los aspectos más profundos de nuestro Ser.

Pero puede suceder que nos encontremos desubicados frente a una cantidad de informaciones, con la incapacidad de destacar los mensajes esenciales.

Estas dos Cruces nos van a permitir resaltar las líneas de fuerza de nuestro Tema y volvernos más conscientes.

Normalmente, corresponden a los mensajes más importantes que descubrimos durante nuestro trabajo de introspección. Debemos relacionar la información que nos revelan con la Inclusión y sus diferentes etapas, así como con las Áreas Claves (que vimos en detalle en el primer libro), con los Ciclos de Vida y con los Desafíos.

Estos mensajes no son casuales; están aquí para indicarnos señales o luces que representan nuestro gran camino de evolución.

Estas dos Cruces de Liberación me fueron enseñadas por mi Maestro François Notter y las considero como el resplandor final de los fuegos artificiales; éstas nos van a permitir finalizar con belleza este camino que hicimos juntos para penetrar más en nuestro maravilloso "jardín secreto".

Cruz Estratégica

Esta Cruz corresponde normalmente a la primera etapa de la vida, pero puede permanecer el tiempo necesario para desarrollar y vivir de un modo cómodo los mensajes propuestos.

Permite, como lo indica su definición, alcanzar una posición estratégica en el camino de nuestra propia evolución o de la toma de conciencia.

Cuatro datos van a componer su estructura y más que todo transmitir su energía dinámica. Por eso, vamos a imaginar los tres primeros números formando como un arco: los dos primeros representan las extremidades del arco, el tercero como la mano que mantiene la cuerda tensa y el último es el objetivo que debemos alcanzar.

Primer elemento

El primer elemento es el Número de Liberación (NL) válido para toda nuestra vida.

Se calcula siempre a partir de las Casas o los aspectos de la Inclusión de Base.

Vamos a considerar diferentes casos para su cálculo:

El caso más sencillo es cuando encontramos Soles en la Inclusión.

El Número de Liberación se calcula a partir de las Casas donde hay Soles.

Si, por ejemplo, tengo un Sol en la Casa 2, mi NL va a ser 2.

Si tengo Soles en diferentes Casas, debo sumar los números de las Casas y reducirlos si es necesario, con excepción de los Números Maestros.

Por ejemplo:

Si tengo Soles en las Casas 2, 4 y 6, mi NL va a ser $2 + 4 + 6 = 12 = 3$

Si tengo Soles en las Casas 4 y 7, mi NL va a ser 4 + 7 = 11

Este Número Maestro se debe relacionar, evidentemente, con los datos del Tema y el Habitante de la Casa 2.

El otro caso es cuando no encuentro Soles en las Casas. Entonces debo considerar la o las Casas más "llenas", donde están los Habitantes más numerosos.

Para eso, debemos sumar la cantidad de letras de la identidad y dividirlo entre la cantidad de Casas (9). Este número resultante será el promedio de Habitantes por cada Casa.

Supongamos que tenga 27 letras en total; el promedio sería de tres Habitantes por Casa. Si tengo 6 Habitantes en la Casa 1 y 8 en la Casa 5, debo sumar las Casas 1 y 5, para obtener el NL (en este caso el 6).

Otro ejemplo: si tengo 22 letras en total, voy a tener un promedio de dos letras por Casa. Si encuentro 6 Habitantes en la Casa 5, mi NL va a ser 5.

El Número de Liberación es, entonces, el primer punto de apoyo de esta Cruz Estratégica y lo vamos a encontrar igualmente en la segunda Cruz.

Segundo elemento

El segundo elemento del "arco" va a ser, sencillamente, el Número de Expresión (NE).

Les recuerdo que el Número de Expresión es el total de todas las letras de nuestra identidad y representa nuestro vestido exterior, lo que perciben los demás de nosotros.

Tercer elemento

El tercer elemento de esta Cruz va a ser el número Dinamizante Proyectivo (DP), que permite tensar la flecha del arco simbólico y le da la fuerza para alcanzar el "objetivo".

Corresponde al aspecto que debo desarrollar o trabajar más, para alcanzar o encontrar mis riquezas interiores.

Sería como la síntesis de las dos extremidades del arco para acceder al nivel Estratégico de conciencia que va a constituir el cuarto elemento de esta primera Cruz.

Se calcula con la suma del Número de Liberación más la Expresión, reducido con la excepción de los Números Maestros.

Cuarto elemento

El cuarto elemento u "objetivo" va a ser el Número de Apertura (NA).

Describe el aspecto o el área de la vida que va a permitir una apertura de conciencia únicamente cuando voy a ser capaz de desarrollar, enriquecer y sacar el mejor provecho del potencial del número a nivel humano y espiritual.

Representa como un "pórtico" a pasar en esta primera etapa de mi evolución personal. Ofrece la posibilidad de brotes nuevos interiores en el área correspondiente.

Puede ser como la fuente de detonadores creadores que me van a permitir avanzar en mi camino de evolución personal.

Su valor se obtiene con la suma de los tres elementos precedentes: Número de Liberación + Expresión + Dinamizante Proyectivo.

Por ejemplo: si tengo como Número de Apertura un 3 o un 6, es una invitación a desarrollar mi potencial de creatividad o de comunicación y corresponde probablemente a mensajes ya presentes en el Tema.

Su valor se obtiene con la suma de los tres elementos precedentes: Número de Liberación + Expresión + Dinamizante Proyectivo.

Número de Liberación (NL)

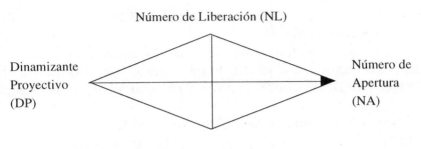

Dinamizante
Proyectivo
(DP)

Número de
Apertura
(NA)

Número de Expresión (NE)

Volvamos al caso de María Carolina y descubramos su primera Cruz de Liberación, con la Inclusión y su Número de Expresión.

Vamos de nuevo a atribuir los valores a las letras y hacer el cálculo teniendo en cuenta el apellido de la Madre:

```
  1   91      1   6   9   1     5   5       1     9 1     = 49 = 4
  M A R Í A   C A R O L I N A   P É R E Z   G A R C Í A
  4   9       3   9   3   5     7   9   8   7   9 3       = 76 = 4
                                                         _____
                                                          125 = 8
```

El total de las letras de María Carolina nos da 125 = 8

Nos acordamos también de su Inclusión de Base:

CASAS	1	2	3	4	5	6	7	8	9
HABITANTES	6	0	3	1	3	1	2	1	7

Así, si construimos su Cruz Estratégica, vamos a tener:

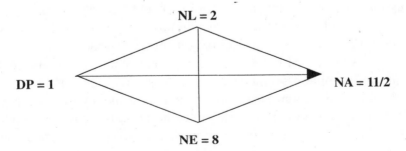

NL = 2

DP = 1

NA = 11/2

NE = 8

El Número de Liberación (NL) va a ser el 2 porque es la única Casa donde tenemos un Sol.

El Número de Expresión es 8, y las dos extremidades del arco Sumadas dan. $8 + 2 = 10 = 1$, lo que corresponde al Dinamizante Proyectivo (DP) que quiere alcanzar el objetivo del Número de Apertura $2 + 8 + 1 = 11/2$

Si los interpretamos con el Tema de María Carolina, vemos que el Número de Liberación corresponde a la tarea más clara de su vida: el manejo de su autoestima, de su feminidad y de sus emociones (el aspecto 2).

El Dinamizante Proyectivo (DP) que representa lo que debe trabajar al inicio de su vida, es el 1. Es decir, nos indica que debe afirmar su ego, su identidad a través de la ternura o de las emociones (Habitante 6), recordando que también su Desafío Mayor es el 1, lo que supone que no será fácil.

Encontramos como Número de Apertura (NA) un 11/2, Número Maestro.

Una vez que María Carolina sea capaz de vivir bien el potencial del 2, que representa su Número de Liberación, va a vivir la afirmación de su identidad (DP) y después será capaz de experimentar el potencial del 11, es decir, recibir y ser canal para ayudarse interiormente y edificar a los demás.

Cruz Iniciática

Después de haber alcanzado el propósito del Número de Apertura (NA) podemos ir más lejos en el camino de la progresión.

La segunda Cruz de Liberación nos propone esta nueva etapa de evolución personal que nos llevará hasta el final de nuestra vida.

Nos indica el enfoque más luminoso que debemos lograr para nuestra transmutación interior durante esta encarnación.

Las informaciones que transmite se presentan como una continuación complementaria de la primera Cruz de Liberación.

La etapa estratégica, evocada por la primera Cruz, nos había permitido crecer interiormente y encontrar nuestras bases profundas.

La etapa iniciática que propone la segunda Cruz está relacionada a los compromisos personales, así como a los deseos de elevación de conciencia y de apertura espiritual.

Primer elemento

Es de nuevo el mismo Número de Liberación (NL), que ofrece sus mensajes más plenos y avanzados.

Segundo elemento

La otra extremidad del arco es el Número del Alma (A), que corresponde al total de las vocales. Es el núcleo profundo del Ser y probablemente la información más importante porque representa el desafío de nuestra vida: hacer aflorar y expandir nuestra "chispa" más íntima.

Tercer elemento

Se obtiene por la suma de los dos precedentes y se llama el Dinamizante Evolutivo (DE). Es el que tensa el "arco" para llegar al objetivo.

Representa la "clave del arco" de nuestro proceso evolutivo, sobre la cual se apoyan las apuestas importantes de nuestro camino iniciático.

Las solicitudes esenciales pasan por ella para permitirnos alcanzar el último objetivo.

Cuarto elemento

El valor del Número de Renacimiento (NR) viene de la suma de los tres datos anteriores.

Representa el objetivo luminoso, la focalización espiritual, último "pórtico" a pasar antes de cumplir con nuestra misión en la Tierra.

Representa el resumen de los desafíos iniciáticos de esta vida y lo debemos relacionar con el Número de Iniciación Espiritual que complementa.

Ofrece una síntesis general de la interpretación de nuestro Ser para liberar su potencial interior y ayudarlo a experimentar un Renacimiento interior pleno y liberador.

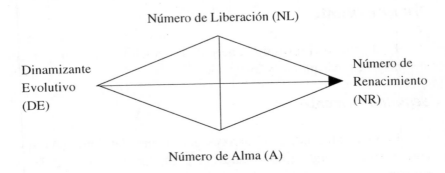

Considerarnos esta segunda Cruz en el caso de María Carolina, sabiendo que la podrá vivir sólo a partir de los 40 años, cuando ya habrá cumplido con su primera Cruz.

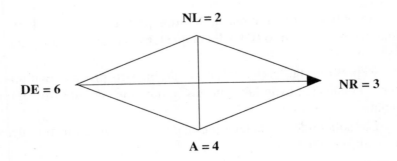

El Número de Liberación (NL) es igual, pero supongamos que vive los aspectos del 2 con más plenitud y armonía.

El Número de Alma (A) es 4 y su número de Dinamizante Evolutivo (DE) es $2 + 4 = 6$.

Nos confirma lo que vimos en el Tema: la importancia de vivir bien el deseo de servir, de amar y, probablemente, la posibilidad de creatividad subyacentes en todos los datos.

Esto nos lleva a su Número de Renacimiento $2 + 4 + 6 = 12 = 3$

Una vez que haya pasado su proceso evolutivo del 6, vivido con plenitud y equilibrio, logrará liberar su potencial creativo, su deseo de comunicarse con los otros, de disfrutar de la vida, vivir bien el "aquí y ahora", y finalmente, el gran secreto de la felicidad.

Para ser más clara, podríamos poner las dos Cruces de Liberación a continuación para captar más el sentido de gran camino evolutivo de toda su vida:

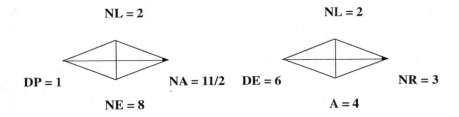

Conclusión

Llegamos a buen puerto al final de este viaje iniciático que nos ha llevado al interior de nuestro misterio.

Espero que este camino que hicimos juntos los haya ayudado a descubrir nuevos aspectos de su "jardín secreto", con sus dimensiones desconocidas, sus flores y plantas nuevas, para dejarlas florecer y crecer.

Tengo la impresión de haber cumplido lo que tenía que cumplir: transmitir una enseñanza que me ayudó tanto en mi vida personal y que libera también a tanta gente en los diferentes países donde trabajo. No podía tener estos recursos maravillosos para mí sola; debía darlos a conocer y compartirlos con ustedes.

Lo hice con toda mi mejor buena voluntad antes de dejar América Latina y volver a mis raíces en Francia, donde mi pequeño Paul va a vivir a partir de ahora en adelante.

Les confieso que para mí es un cambio muy difícil porque quiero profundamente este continente lleno de libertad, de vitalidad y de esperanza.

Igualmente continuaré con mi enseñanza en aquellos países que lo necesiten, pero no es lo mismo "ser turista" que tener algunas raíces en América Latina.

Les agradezco a todos el haber aceptado este desafío conmigo: mirarse "cara a cara" en su propia verdad, sin miedo, con tolerancia, con amor y sobre todo con la impresión de haber descubierto, todavía más, que cada Ser Humano es una maravilla única, preciosa e irremplazable.

Uruguay, diciembre de 2000

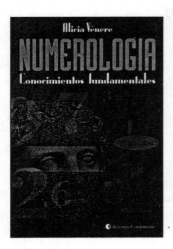

NUMEROLOGÍA
Conocimientos fundamentales

ALICIA VÉNERE

128 páginas
15,5 x 23 cm
ISBN: 950-754-045-8

"El estudio de la numerología nos permite acceder, no sólo al conocimiento de nosotros mismos, sino también a una profunda y auténtica toma de conciencia de nuestra realidad interna; esto nos conduce, espontánea e inevitablemente, a un mejor desenvolvimiento en nuestra vida cotidiana, que desemboca en mejores posibilidades de cumplir con nuestro destino."

Con estas palabras, la autora, Alicia Vénere, describe perfectamente, y más allá de toda duda, la interacción de los números de la fecha de nacimiento y las letras de los nombres, con las capacidades intuitivas y analíticas de cada persona, potenciando así el autoconocimiento y el despertar de nuestro auténtico yo interior, con todo lo que ello significa para nuestro desarrollo.

NUMEROLOGÍA HUMANISTA

Un camino de liberación del ser

MARTINE COQUATRIX

256 páginas
15,5 x 23 cm
ISBN: 950-754-056-3

¿Qué es la *Numerología Humanista*?

"Es el estudio completo del hombre por medio del mensaje de los números. Es una enseñanza que privilegia la visión dinámica evolutiva del crecimiento personal y colectivo", responde la autora de esta obra, quien, de una forma minuciosa y ordenada, va introduciendo al lector en los mecanismos del estudio numerológico, para ayudarlo a despertar su conciencia y a comrpender el sentido y la misión de su vida; en síntesis, para impulsarlo a explorar y a desarrollar toda su potencialidad.